FRANCOPHONIES D'AMÉRIQUE

Printemps 2021

Numéro 51

Les Presses de l'Université d'Ottawa
Centre de recherche en civilisation canadienne-française

FRANCOPHONIES D'AMÉRIQUE

Printemps 2021
Numéro 51

Mise en page et montage de la couverture :
Édiscript enr.

En couverture : Zoé Zénon, *Musée du Louvre*, illustration numérique, 27,9 cm × 27,9 cm, 2020.

Cette revue est publiée grâce à la contribution financière des institutions suivantes :

Association des collèges et universités de la francophonie canadienne (ACUFC) • CRCCF, Université d'Ottawa • CREFO, Université de Toronto • Université de Moncton • Université de Saint-Boniface • Université Laurentienne • Université Laval • Université Sainte-Anne

ISBN : 978-2-7603-3511-0
ISSN : 1183-2487 (Imprimé)
ISSN : 1710-1158 (En ligne)
Dépôt légal – Bibliothèque et Archives nationales du Québec, 2021
Dépôt légal – Bibliothèque et Archives Canada, 2021
Les Presses de l'Université d'Ottawa/Centre de recherche en civilisation canadienne-française, 2021
Imprimé au Canada

Comment communiquer avec

FRANCOPHONIES D'AMÉRIQUE

POUR LES QUESTIONS D'ABONNEMENT, DE DISTRIBUTION OU DE PROMOTION :

Centre de recherche
en civilisation canadienne-française
Université d'Ottawa
65, rue Université, bureau 040
Ottawa (Ontario) K1N 6N5
Téléphone : 613 562-5877
Télécopieur : 613 562-5143
Courriel : crccf@uOttawa.ca
Facebook : @FrancophoniesDAmerique

POUR TOUTE QUESTION RELEVANT DU SECRÉTARIAT DE RÉDACTION :

Olivier Lagueux
Secrétariat de rédaction, *Francophonies d'Amérique*
Centre de recherche
en civilisation canadienne-française
Université d'Ottawa
65, rue Université, bureau 040
Ottawa (Ontario) K1N 6N5
Téléphone : 613 562-5800, poste 4001
Télécopieur : 613 562-5143
Courriel : publications.crccf@uOttawa.ca

Francophonies d'Amérique est disponible sur la plateforme Érudit à l'adresse suivante : https://www.erudit.org/fr/revues/fa

***Francophonies d'Amérique* est indexée dans :**

Klapp, *Bibliographie d'histoire littéraire française* (Stuttgart, Allemagne)

International Bibliography of Periodical Literature (IBZ) et *International Bibliography of Book Reviews (IBR)* (Hasbergen, Allemagne)

International Bibliography of the Social Sciences (IBSS), The London School of Economics and Political Science (Londres, Grande-Bretagne)

MLA International Bibliography (New York)

REPÈRE – Services documentaires multimédia

Table des matières

Présentation

FRANCOPHONIES D'AMÉRIQUE

Rémi Léger
Université Simon Fraser

Le présent numéro de *Francophonies d'Amérique* est une vitrine sur la richesse et la diversité des études dans le champ de recherche sur les francophonies canadienne et des Amériques. On le sait, ce champ regroupe des chercheurs et des chercheuses issus d'une grande variété de disciplines, y compris l'ensemble des sciences sociales et humaines, l'éducation et le droit. En plus de sa nature profondément pluridisciplinaire, ce champ de recherche s'intéresse aussi à plusieurs thématiques, dont l'identité, les pratiques culturelles, la vie associative, l'histoire et le patrimoine, la pédagogie et la langue. En proposant des articles qui mobilisent des grilles de lecture émanant de la sociolinguistique critique, de la littérature comparée, du postcolonialisme et de la sociologie des rapports sociaux, ce numéro propose ainsi une très belle fenêtre sur notre champ.

Je tiens à noter que les deux premiers articles de ce numéro, ceux d'Isabelle LeBlanc et d'Isabelle Kirouac Massicotte, devaient normalement faire partie d'un numéro thématique sur les relèves au féminin sous la direction invitée de Maëva Touveau. Pour plusieurs raisons, ce projet de numéro a dû être abandonné, mais je tiens néanmoins à remercier Maëva Touveau pour les efforts investis dans le projet. Dans cette optique, j'invite les collègues intéressés à monter un numéro thématique, ainsi que les collègues désirant publier leurs travaux dans les pages de notre revue, à communiquer avec moi. Je garde l'ambition de faire de *Francophonies d'Amérique* la revue phare des francophonies dans les Amériques.

Le présent numéro marque également un tournant important dans l'histoire de la revue: il constitue en effet le dernier numéro papier de *Francophonies d'Amérique*. À compter du numéro 52 (automne 2021), notre revue entreprend un passage complet au numérique. Si

Francophonies d'Amérique, n° 51 (printemps 2021), p. 9-10.

Francophonies d'Amérique abandonne sa version imprimée, elle n'en abandonne pas pour autant la grande qualité qu'on lui connaît. Vous pourrez ainsi, en vous rendant sur la plateforme Érudit, continuer à parcourir des numéros thématiques, des articles et des recensions préparés avec la même rigueur scientifique et éditoriale. L'ambition de notre revue reste la même : proposer des études sérieuses et des réflexions stimulantes sur les diverses facettes de la vie française dans les différentes régions francophones d'Amérique.

Le discours sur la violence sexuelle en milieu universitaire francophone : le cas de l'Université de Moncton

Isabelle LeBlanc
Université de Moncton

L'Université de Moncton, fondée en 1963, est une université francophone située au Nouveau-Brunswick dans l'est du Canada. Son campus principal se situe à Moncton, et elle possède deux autres campus situés à Shippagan et à Edmundston. La mission de cette institution est d'offrir des programmes d'études postsecondaires en français à une population minorisée, qui habite dans l'unique province officiellement bilingue du Canada. Dans cette province, les femmes francophones se trouvent doublement minorisées en raison de leur langue et de leur identité de genre (Cardinal, 1992), ce qui accentue l'absence de leurs voix sur la place publique.

Dans ce contexte, la prise de parole *sur* les femmes et la violence envers celles-ci dans l'espace universitaire traditionnellement catho-patriarcal (LeBlanc, 2019) prend toute son importance, car depuis les années 1960, les femmes francophones luttent pour une plus grande reconnaissance des enjeux liés à leurs conditions sociale, politique et économique (LeBlanc, 2019 ; McKee-Allain, 1995). Cette lutte existe en milieu universitaire et prend la forme d'une dénonciation de l'idéologie sexiste déployée et documentée dans la presse étudiante depuis les années 1960-1970. Par exemple, en mars 1972, dans le premier numéro du premier volume du journal étudiant *La Mèche,* un article qui présente une femme aux seins nus est accompagné du titre suivant : « Bouge un peu ! T'engraisses ma cochonne » (*La Mèche*, vol. 1, n° 1, mars 1972). Depuis les débuts de l'existence de l'Université de Moncton, l'objectivation du corps de la femme et l'aliénation de celle-ci dans l'espace universitaire sont à la fois décrites, mais aussi décriées dans la presse étudiante[1].

1. Voir Micheline Léger, *La Mèche*, vol. 1, n° 2 (avril 1972) ou encore Clarence Comeau, Georges Légère et Guy Babineau, *Tempête* (janvier 1973).

Francophonies d'Amérique, n° 51 (printemps 2021), p. 11-38.

Le sexisme envers les Acadiennes, dont le rôle traditionnel est associé à la reproduction biologique et culturelle du groupe minorisé (McLaughlin et Heller, 2011), prend la forme d'un discours qui disqualifie les compétences réelles de celles-ci ainsi que la présence de leurs corps sur le campus. Les discours qui traitent les femmes comme des objets sexuels ou des corps à « corriger » circulent depuis longtemps dans les milieux universitaires, et l'Université de Moncton ne fait pas exception dans ce domaine.

Le discours de cette université a évolué en ce qui concerne les rapports sociaux de genre et bien que les discours sur le corps des femmes persistent, des contre-discours féministes se font également entendre sur le campus acadien de Moncton. Plus récemment, l'hégémonie du discours sexiste qui nie l'existence même de la violence sexuelle sur le campus tend à s'effacer en faveur d'un processus de légitimation des voix féministes. Ce nouveau paradigme féministe se déploie dans le discours officiel de l'Université de Moncton et dans les discours étudiants. Dans ce texte, je m'intéresserai à l'émergence d'un discours public sur la violence sexuelle à l'Université de Moncton, ce qui est relativement récent en Acadie, région où le paradigme féministe dans toute sa pluralité tarde encore à s'affirmer pleinement dans les institutions (LeBlanc, 2019).

En effet, bien que cette institution acadienne ait connu des mouvements féministes au sein de son corps professoral et de sa population étudiante depuis les débuts de son existence (Clavette et McKee-Allain, 1983), la légitimation institutionnelle de cette approche est très récente et son contexte d'émergence coïncide avec la médiatisation nationale d'un cas de violence sexuelle sur le campus de Moncton en 2017.

Plus précisément, en février 2017, un acte de cyberviolence visant une étudiante de l'Université de Moncton fait réagir les médias dans tous les coins du pays. L'histoire d'une vidéo intime envoyée par courriel à la communauté étudiante renvoie à la vulnérabilité des victimes dans le milieu universitaire, qui ne prévoit pas de code de conduite en réaction à ce type de vengeance sexuelle cherchant à humilier une femme sur la place « publique ». L'identité de la victime avait été communiquée dans le message (*Acadie Nouvelle*, 27 février 2017) et l'absence d'une politique ou d'un code de conduite en matière de violence sexuelle à l'Université de Moncton a accentué le problème, ce qu'ont d'ailleurs souligné les médias à l'échelle pancanadienne[2]. À partir de ce moment, l'Université de Moncton, qui s'est trouvée plongée dans une gestion de crise, a décidé d'adopter un plan d'intervention en matière de violence sexuelle sur le campus. La décision de l'Université de Moncton s'inscrit dans un contexte pancanadien plus large où l'on assiste à la responsabilisation des institutions universitaires dans la lutte contre la violence sexuelle.

Dans les provinces maritimes, la prise de conscience du problème de la violence sexuelle sur les campus s'est accentuée depuis 2013, particulièrement à l'occasion de la semaine d'orientation à l'Université Saint Mary's de Halifax au cours de laquelle des « leaders étudiants [ont fait] scander à plusieurs centaines d'étudiants de première année un slogan en acrostiche qui les poussait à empoigner le postérieur de la petite sœur vierge d'un ami, mineure, sans son consentement » (*Affaires universitaires*, 20 octobre 2014).

Il est désormais devenu impossible d'ignorer le fait que les milieux universitaires canadiens sont des espaces dans lesquels les femmes sont régulièrement victimes de violence sexuelle (Savoie *et al.*, 2018). L'objectif de mon texte est d'analyser le contenu idéologique (Cameron, 2007) du discours sur la violence sexuelle qui émerge sur le campus de Moncton entre 2015-2019 afin d'examiner les croyances sur les rapports de genre déployées dans ce discours. Autrement dit, comment parle-t-on de violence sexuelle à une communauté qui a gardé le silence sur ce sujet depuis des décennies ? Quel langage est privilégié et par qui ? Avant de présenter le corpus discursif sur lequel se base mon analyse, je préciserai quelles sont les considérations théoriques qui orientent ma lecture du corpus.

Approches théoriques

L'intersection : langue et violence sexuelle

L'approche féministe en sociolinguistique critique permet de rappeler l'importance du contexte interactionnel et des relations de pouvoir imbriquées dans les interactions (Heller, 2002 ; 2007). Ainsi, il n'est pas

2. À l'époque, il n'existe qu'une politique sur le harcèlement sexuel, qui ne prévoit pas des mesures préventives ou des mesures d'urgence dans le cas de violences sexuelles effectuées à partir des nouvelles technologies.

seulement question de dire « oui » ou « non », mais de savoir *qui le dit*, dans *quel contexte* et *avec quelles intentions*. Au Canada, les femmes sont tenues juridiquement responsables de la communication du consentement ou de l'absence de celui-ci par des actes de langage verbaux (Ehrlich, 2001). Pourtant, l'interprétation de ces actes de langage se fait dans un espace qui n'est pas neutre, car le sexisme systémique envers les femmes dans le système judiciaire canadien est bien documenté (Craig, 2018).

Au Canada, 90 % des agressions sexuelles ne sont pas rapportées à la police, car les victimes ne font pas confiance au système judiciaire (Craig, 2018). La parole des femmes n'a jamais eu le même poids que celle des hommes dans les procès de violence sexuelle au Canada et, dans l'éventualité d'un procès, une femme victime de viol au Canada doit convaincre le juge qu'elle a bien communiqué verbalement son non-consentement. Ainsi, aux yeux de la loi canadienne, un « non » direct et ferme est une exigence minimale permettant à une femme de se dédouaner de toute complicité de violence sexuelle à son égard. Pourtant, la difficulté de verbaliser un « non » de manière directe en interaction a fait l'objet de nombreuses recherches en analyse conversationnelle (Campbell et Barnlund, 1977 ; Howard, 1985 ; Warzak et Page, 1990 ; Cairns, 1993).

Dans la vie quotidienne, le refus est normalement exprimé de manière indirecte par une explication[3] alors que la verbalisation du « non » de manière directe est vue comme hostile et impolie (Atkinson et Heritage, 1984 : 268). De plus, l'idée que la meilleure façon de prévenir un viol est d'affirmer que « non, c'est non », n'a jamais été considérée comme une pratique réaliste en études conversationnelles (Kitzinger et Frith, 1999). Ainsi, « *women are not only receiving bad advice on how to "prevent" rape they are also being held responsible for preventing it and blamed if they do not succeed* » (Cameron, 2007 : 97). Il faut donc comprendre que

> [*w*]*hile feminists have enthusiastically embraced the slogan "yes means yes, and no means no", some anti-feminists have been virulent in their opposition. For example, Gilbert* (1991), *criticized the "radical feminist effort to impose new norms governing intimacy between the sexes"* (p. 61) *further complaining that "the awesome*

3. Par exemple, une collègue refusera de participer à une activité sociale en disant quelque chose du genre : « Je suis désolée, j'ai déjà des plans ». Le refus se fait régulièrement sans dire « non » de manière directe.

> *complexity of human interaction is reduced to 'No means no'"* (Gilbert, 1991 : 61)[4].
>
> *Conversation analytic research (like the work on token resistance) suggests that Gilbert is right: human conversational interaction is indeed intricately complex: "yes" may sometimes mean "no", "no" may sometimes mean "yes", and the word "no" is not necessarily part of a refusal. What are the implications of this for feminism?* (Kitzinger et Frith, 1999 : 310)[5].

L'adoption rapide de slogans dans le discours sur la violence sexuelle peut reproduire des stéréotypes langagiers et de genre quant à la façon dont les femmes *devraient* exprimer un refus lorsqu'elles sont en interaction avec des hommes. Pourtant, Ehrlich (2001) rappelle que la langue est un filtre à partir duquel la réalité est interprétée et que la négociation discursive de cette réalité ne se fait jamais de manière neutre. Les femmes ont elles-mêmes intériorisées l'idéologie sexiste cherchant à disqualifier les multiples stratégies langagières menant au refus ou au consentement. C'est pourquoi il est encore difficile pour le système judiciaire d'envisager qu'une femme puisse consentir à des gestes et à des paroles et ne pas consentir à d'autres lors d'une même interaction (Cameron, 1985). Le croisement entre les idéologies de genre et les idéologies linguistiques contribuent à la reproduction du stéréotype voulant que les hommes soient peu doués pour la communication et ne comprennent qu'un « non » direct et ferme, un cliché alimenté par le discours social sur les « besoins » sexuels des hommes (Gal, 1990).

Selon Norman Fairclough et Ruth Wodak : « *[I]deological loading of particular ways of using language and the relations of power which underlies*

4. Si les féministes ont adopté avec enthousiasme le slogan « oui signifie oui, et non signifie non », certains antiféministes ont été virulents dans leur opposition. Par exemple, Gilbert (1991) a critiqué « l'effort féministe radical pour imposer de nouvelles normes régissant l'intimité entre les sexes » (p. 61), se plaignant en outre que « la complexité impressionnante de l'interaction humaine est réduite à "non signifie non" ».
5. Les études sur les échanges conversationnels (comme les travaux sur la résistance symbolique) suggèrent que Gilbert a raison : l'interaction conversationnelle humaine est en effet complexe : « oui » peut parfois signifier « non », « non » peut parfois signifier « oui », et le mot « non » ne fait pas nécessairement partie d'un refus. Quelles en sont les implications pour le féminisme ?

them are often unclear to people» (1997 : 258)[6]. Pour les sociolinguistes féministes, « *language is not a neutral and transparent means of designating social realities. Rather, it is assumed that a particular vision of social reality gets inscribed in language – a vision of reality that does not serve all of its speakers equally*» (Ehrlich et King, 1994 : 59)[7]. Ainsi, la reproduction du slogan « non, c'est non » révèle une vision sociale des rapports de genre qui sous-estime les compétences langagières réelles des hommes. Ceux-ci peuvent interpréter un refus qui prend une autre forme qu'un « non » direct (Cameron, 2007). De plus, les femmes peuvent exprimer un refus sans utiliser un « non » direct, sans que cela fasse d'elles des personnes passives et soumises. Le refus indirect fait partie des normes langagières de plusieurs communautés linguistiques (Kitzinger et Frith, 1999). Comme le rappelle Paul Ricœur (1986), la langue est toujours un objet d'interprétation et deux personnes peuvent interpréter différemment un geste ou un mot, selon les effets visés par chacun (Badinter, 2003). Autrement dit, la langue n'est pas figée dans un sens unidimensionnel.

La focalisation excessive sur les mots, plutôt que sur le *contexte interactionnel*, selon *qui* dit *quoi* et *de quelle manière* ne permet pas de saisir la complexité réelle de la violence sexuelle. Autrement dit, les mots utilisés dans un contexte donné s'inscrivent systématiquement dans des relations de pouvoir associées aux individus, aux corps qui parlent.

Les recherches en sociolinguistique ont permis de montrer que le langage n'est pas un phénomène neutre ni naturel, mais bel et bien « *a symbolic system which produces, shapes and perpetuates social norms and relations* » (Moscovici, 1997 : 53)[8]. Fairclough rappelle que les discours véhiculent nos représentations du monde et que celles-ci traduisent notre compréhension des relations et des structures du monde social (2003). Les discours sur la violence sexuelle en milieu universitaire acadien contribuent à reproduire ou à transgresser des normes existantes

6. La charge idéologique de certaines façons d'utiliser le langage et les relations de pouvoir qui les sous-tendent sont souvent peu claires pour les gens.
7. La langue n'est pas un moyen neutre et transparent de désigner les réalités sociales. On suppose plutôt qu'une vision particulière de la réalité sociale s'inscrit dans la langue – une vision de la réalité qui ne sert pas de manière égale à tous ses locuteurs et locutrices.
8. Un système symbolique qui produit, façonne et perpétue les normes et les relations sociales.

quant aux comportements *attendus* d'une *femme* ou d'un *homme*, incluant ses compétences langagières. La lutte contre la violence sexuelle ne se réduit pas à l'apprentissage d'une formule magique à verbaliser. Il s'agit plutôt de comprendre que la violence sexuelle se loge à l'intérieur même des idéologies linguistiques et des idéologies de genre. Il faut donc cerner les préjugés de genre en lien avec la langue et cesser d'employer des slogans, qui ne sont que des solutions faciles à un problème social multidimensionnel.

Comme nous le rappelle Michel Foucault, fabriquer un discours s'apparente à la fabrication d'un objet : « [L]e discours n'est pas simplement ce qui traduit les luttes ou les systèmes de domination, mais ce pour quoi, ce par quoi on lutte, le pouvoir dont on cherche à s'emparer » (1971 : 12). Selon Deborah Cameron (2007), prendre la parole s'apparente parfois à un acte identitaire qui permet de s'affirmer ou de se différencier, mais toujours dans un rapport à l'*Autre*. Ainsi, la prise de position publique de l'Université de Moncton sur la violence sexuelle s'inscrit dans un contexte sociopolitique plus large dans lequel l'effet du « *boys' club* » (Delvaux, 2019) est dénoncé[9]. Le discours sur la violence sexuelle en milieu universitaire témoigne des relations de pouvoir, permettant aussi l'émergence des libertés de résistance (Foucault, 1971). En ce moment, la résistance féministe est reconnue sur la place publique et le fait de parler de violence sexuelle permet aussi de légitimer ce thème en lien avec le corps des femmes dans le milieu universitaire.

L'étude des discours sur la violence sexuelle en milieu universitaire acadien

La violence sexuelle en milieu universitaire a surtout été examinée dans une perspective anglophone (Minister, 2018 ; Stotzer et MacCartney, 2016). Au Canada, il existe depuis 2016 une recherche québécoise en français sur la violence sexuelle en milieu universitaire (Bergeron *et al.*, 2016), qui décrit le contexte canadien de la manière suivante en se basant sur des études anglophones :

> À l'instar des violences sexuelles survenant en milieu non universitaire, celles qui surviennent en contexte universitaire sont majoritairement commises par un individu connu de la victime (Fisher *et al.*, 2000 ; Krebs *et al.*, 2007 ; Walsh

9. Le mouvement féministe contemporain associé à #metoo/#moiaussi a transformé le discours public sur la violence sexuelle. Ce mouvement revendique, entre autres, la valorisation des voix de femmes.

> *et al.*, 2010). Par ailleurs, les gestes impliquent majoritairement un.e étudiant.e agressant un.e autre étudiant.e (Hill et Silva, 2005 ; Kearney et Rochlen, 2012). Rappelons toutefois que ces recherches sont limitées à des échantillons d'étudiant.e.s. Bien qu'aucune étude ne permette de rapporter de prévalence, il arrive aussi que des enseignant.es soient la cible de remarques sexistes ou de harcèlement sexuel par des étudiant.e.s (Baker, 2010 ; Iconis, 2006).

La violence sexuelle en milieu universitaire peut faire référence au harcèlement, aux remarques sexistes, à la violence verbale, à la violence physique, incluant le viol. La culture du viol ne renvoie pas seulement au viol, mais bien à une banalisation des gestes de violence sexuelle et à la croyance que les femmes sont responsables des violences qu'elles subissent (Bergeron *et al.*, 2016).

En Acadie, des chercheuses de l'Université de Moncton examinent les discours teintés de violence sexuelle dont sont victimes les étudiantes universitaires et elles constatent qu'il existe une forme de violence dite « ordinaire » dans le milieu universitaire acadien (Savoie *et al.*, 2018), c'est-à-dire « [...] des regards déplacés, des commentaires inappropriés, des interpellations verbales dérangeantes, une insistance des avances après un refus, des attouchements non voulus et des tentatives d'entrer en contact de façon persistante » (Savoie *et al.*, 2018 : 148).

Il faut donc comprendre que les discours sur la violence sexuelle en milieu universitaire acadien ne sont pas des discours qui traitent exclusivement de viols, mais bien de violences ordinaires et banalisées, qui font souvent partie du quotidien de la majorité des femmes. De plus, cette violence ordinaire se répand dans l'univers numérique, notamment par le partage de photos intimes, qui peuvent devenir des marqueurs importants d'une culture du viol numérique (Dodge, 2016).

En effet, comme nous l'avons mentionné en introduction, sur le campus de Moncton, une étudiante a été victime d'un courriel haineux dans lequel une image sexuelle « a été envoyé [e] tard samedi soir à une grande partie des membres de la communauté étudiante de l'Université de Moncton » (Radio-Canada, 26 février 2017).

Peu de temps après ce cas de cyberviolence sexuelle, le Regroupement féministe du Nouveau-Brunswick (RFNB) a proposé une soirée d'information sur la culture du consentement sexuel au bar étudiant afin d'aborder un sujet jugé encore tabou. Selon l'étudiante Natasha Landry, la violence sexuelle à l'Université de Moncton, « on l'ignore, on n'en parle pas, et on fait semblant que ça n'existe pas. C'est vraiment l'impression que j'ai en étant étudiante ici» (*Acadie Nouvelle*, 24 mars 2017).

À la suite d'un silence institutionnalisé depuis des décennies dans le milieu universitaire acadien en ce qui concerne la violence vécue majoritairement par des femmes, une prise de parole émerge pour dénoncer la culture du viol en Acadie et pour répandre l'idée que le campus universitaire acadien devrait favoriser une culture du consentement, une expression en usage dans d'autres campus canadiens pour faire allusion à l'importance de valoriser les voix et les perspectives des femmes autant que celles des hommes dans les discussions sur la sexualité. Autrement dit, l'idée est de cesser de n'accorder d'attention qu'à la question de la banalisation de la violence (culture du viol) par les voix dominantes et de promouvoir une légitimation des voix marginalisées (le désir sexuel n'étant pas uniquement de l'ordre du discours masculin). Pourtant, les discours sur la violence sexuelle reproduisent trop souvent les structures de violence liées aux stéréotypes de genre et aux comportements linguistiques associés à ceux-ci. Dans cette perspective,

> [*e*]*radicating sexual violence on college campuses cannot rest solely on one administrator or office. In order to affect long-lasting and systemic change, all members of the campus community have a responsibility of creating a safe learning environment for all members. There is much work to be done and the stakes are simply too high not to come together to end sexual violence on our campuses.* (Wooten et Mitchell, 2017 : 117)[10]

Par ailleurs, le recours aux stéréotypes de genre liés aux comportements langagiers contribue à reproduire une compréhension beaucoup trop figée du consentement, puisque ce dernier, du point de vue de la sociolinguistique critique, s'inscrit toujours dans une interaction verbale *et* non verbale qui doit être analysée différemment selon le contexte de production afin de déterminer les dynamiques interactionnelles entre les deux individus.

10. La lutte contre la violence sexuelle sur les campus universitaires ne peut reposer uniquement sur l'administration. Afin d'apporter un changement durable et systémique, tous les membres de la communauté universitaire ont la responsabilité de créer un environnement d'apprentissage sûr pour tous les membres. Il y a beaucoup de travail à faire et les enjeux sont tout simplement trop importants pour ne pas s'unir afin de mettre fin à la violence sexuelle sur nos campus.

Démarche méthodologique et analyse du corpus

Le corpus est constitué de 48 documents écrits entre 2015 et 2019, dont la moitié provient de sources étudiantes (blogue de la Fédération étudiante ou de la presse) et l'autre moitié, de sources institutionnelles, c'est-à-dire de documents produits ou mis en circulation par des services de l'Université de Moncton, incluant des communiqués de presse et des affiches. Le corpus a été constitué à partir d'une recherche par mot-clé sur le site Web de l'Université de Moncton et d'une collecte de documents sur le campus de Moncton.

Le traitement du corpus est basé sur une approche qualitative et féministe de l'analyse des discours afin d'étudier « la transformation sociale des rapports de genre » (Butler, 2016 : 285) et de réfléchir « aux processus de normalisation, à la façon dont certaines normes, certaines idées ou certains idéaux dominent la vie faite corps, fournissant des critères coercitifsquant à ce que sont les "hommes" et les "femmes" normaux » (*ibid.* : 287-288).

D'une part, il sera possible de constater comment le discours sur la violence sexuelle participe à la reproduction des stéréotypes de genre et, d'autre part, d'envisager en quoi les institutions universitaires sont des espaces qui véhiculent de multiples stéréotypes.

La violence à caractère sexuel

L'Université de Moncton produit un discours institutionnel public sur la violence sexuelle depuis février 2017, au moment de la médiatisation pancanadienne d'un cas précis de violence à caractère sexuel sur le campus universitaire de Moncton. En effet, le magazine d'affaires publiques québécois *L'Actualité* participe à la couverture médiatique qu'avaient amorcée Radio-Canada et La Presse canadienne en publiant le 27 février 2017 un article intitulé « Courriels malveillants à l'Université de Moncton : usurpation d'identité en cause », dans lequel le recteur et vice-chancelier de l'époque, Raymond Théberge, se dit « outré qu'un individu ait distribué des messages inappropriés et dégradants aux membres de la communauté universitaire. Il condamne de tels gestes qui contreviennent au droit à un milieu de travail et d'études respectueux, sain et sécuritaire » (*L'Actualité*, 27 février 2017).

Dans la version publiée dans les archives des nouvelles universitaires disponibles sur le site Web de l'Université de Moncton, on précise :

> Nous sommes engagés à offrir des services de soutien aux membres de la communauté universitaire qui seraient victimes de harcèlement sexuel ou de cyber intimidation, ajoute le recteur Théberge[11]. Nous vous invitons à joindre nos efforts de sensibilisation et prévention, contrer la culture du viol et dénoncer toute forme de violence sexuelle. (Nouvelles de l'Université de Moncton, 27 février 2017)

Il s'agit donc d'une reconnaissance institutionnelle de l'existence de la violence sexuelle sur le campus ainsi que de la présence d'une culture du viol. De plus, le 2 mars 2017, l'Université de Moncton publie une mise à jour sur les mesures préventives à adopter pour mettre fin à la cyberviolence. On y apprend que huit courriels malveillants ont été supprimés par la Direction générale des technologies (DGT), mais que l'institution considère que « les blessures psychologiques [de la victime] ne se guérissent pas aussi vite » (Nouvelles de l'Université de Moncton, 2 mars 2017). L'Université de Moncton rappelle l'importance d'adopter des mesures préventives pour mettre fin à la cyberviolence, en se montrant solidaire de la victime de la manière suivante :

> Briser la chaîne de courriels reçus : ne pas envoyer les photos, les vidéos ou autres documents ; appuyer sur « effacer » et supprimer rapidement les courriels malveillants avant même d'ouvrir le document ; déplorer ouvertement que le comportement est violent et inacceptable ; appuyer la victime en évitant les jugements et les questions ; prenez connaissance d'information sur la cyber-intimidation ; [...]. (Nouvelles de l'Université de Moncton, 28 février 2017)

L'Université de Moncton ne se limite donc pas à une réaction ponctuelle, car l'institution produit et met en circulation un discours de prévention cherchant activement à contrer la culture du viol et à éviter la banalisation d'actes à caractère sexuel. Ce discours encourage la communauté universitaire à déplorer ouvertement ce type de violence et à s'abstenir

---

11. Au moment de la révision pour publication de cet article (en septembre 2020), l'Université de Moncton a nommé un nouveau recteur et vice-chancelier, le docteur Denis Prud'homme, en poste depuis le 1er juillet 2020. Celui-ci a l'intention de réviser la Politique sur la violence à caractère sexuel de l'Université de Moncton à la suite d'allégations d'inconduite contre un professeur de théâtre de l'Université de Moncton. Une enquête externe est présentement en cours afin de faire la lumière sur la situation du professeur suspendu avec solde depuis le 17 juillet en raison de ces allégations d'inconduite et de harcèlement sexuel auprès des étudiantes.

de véhiculer des jugements sexistes à l'égard de la victime. L'institution semble agir de sorte à ne pas reproduire le silence complice qui existait dans le passé.

Le 9 décembre 2017, le Conseil des gouverneurs de l'Université de Moncton adopte un code de conduite et une politique sur la violence à caractère sexuel afin « de mieux répondre aux besoins actuels en matière de lutte contre la violence à caractère sexuel sous toutes ses formes [...] » (Nouvelles de l'Université de Moncton, 9 décembre 2017). Le recteur et vice-chancelier, Raymond Théberge, ajoute que l'institution se dotera d'un poste de commissaire dans le but « de protéger les membres de la communauté universitaire » (*ibid.*). Le recteur confère à l'institution le rôle d'agent-protecteur ouvrant tout de même la voie à la création d'un nouvel espace discursif permettant aux victimes, majoritairement des femmes, de ne plus taire les violences sexuelles subies.

Il faut dire qu'au Nouveau-Brunswick, l'Université de Moncton était la seule université publique à ne pas avoir mis en place de politique sur la violence sexuelle. Ce tournant institutionnel signifie que la prévention et la sensibilisation deviennent des questions centrales, qui mèneront à la reconnaissance des violences sexuelles sur le campus de Moncton. La Politique sur la violence à caractère sexuel est formellement adoptée le 31 janvier 2018 et remplace la Politique et Règlements en matière de harcèlement sexuel et de harcèlement sexiste, qui était devenue obsolète dans sa manière de concevoir la violence, notamment la cyberviolence.

Le comité de travail responsable de cette nouvelle politique comprend principalement des membres du campus de Moncton : Geneviève Latour (Regroupement féministe du Nouveau-Brunswick [RFNB] et étudiante en travail social), Nelly Dennene (RFNB), Carmen Hivon (conseillère en harcèlement et gestion de conflits), Lise Savoie (professeure à l'École de travail social), Sarah Grandisson (étudiante à la maîtrise en travail social) et Sophie LeBlanc Roy (psychologue). Cette équipe participe au façonnement d'un discours féministe qui responsabilise l'institution dans la lutte contre la violence sexuelle. La perspective féministe interventionniste liée à l'influence des membres associées au travail social rejette le rôle de l'institution universitaire en tant qu'agent-protecteur pour en faire un acteur-clé dans un nouveau paradigme féministe. Ainsi, nous apprenons dans le communiqué de presse du 31 janvier 2018 que

> [l]'Université s'engage à ne tolérer aucune forme de violence à caractère sexuel dans ses campus et à mettre en œuvre les mesures nécessaires pour prévenir et contrer les gestes qui y sont liés. La nouvelle politique s'applique à tous les membres de la communauté universitaire, que ce soit dans le cadre du travail, des études, de la recherche ou de toute autre activité liée à l'Université. L'application de la politique s'étend à toute activité vécue en contexte universitaire ainsi qu'à toute personne qui utilise les services et les installations de l'Université ou qui intervient dans le cadre d'activités liées à l'Université, de même qu'à l'ensemble du personnel sous-traitant, des personnes visiteuses, des bénévoles et des personnes invitées. (Nouvelles de l'Université de Moncton, 31 janvier 2018)

Ce discours féministe interventionniste se concrétise dans la Politique sur la violence à caractère sexuel, qui souligne que l'Université de Moncton s'engage « à mettre en œuvre les mesures nécessaires pour prévenir et contrer les gestes qui y sont liés. La prévention, la sensibilisation et l'éducation sont essentielles au changement de culture, d'attitudes et de comportements en matière de violence à caractère sexuel » (Université de Moncton, décembre 2017). La définition de la violence à caractère sexuel, présentée dans l'énoncé de la Politique, inclut les propos sexistes, les formes de violence physique et psychologique, les inconduites sexuelles, le harcèlement, la cyberviolence et le viol. De plus, grâce aux efforts de l'équipe de travail féministe interventionniste, on offre désormais aux membres de la communauté universitaire un Service d'intervention en violence à caractère sexuel gratuit et confidentiel. Le discours institutionnel de l'Université de Moncton déploie dès lors une idéologie féministe interventionniste qui privilégie l'action plutôt que la protection. Il s'agit d'un tournant important qui permet de responsabiliser une institution traditionnellement patriarcale à l'égard de ses propres tendances sexistes.

Le discours sur la culture du viol à l'Université de Moncton

Bien avant que l'institution universitaire produise un discours public sur la violence sexuelle, les étudiantes et les étudiants parlaient de celle-ci. Dès 2015, la Fédération des étudiantes et des étudiants de l'Université de Moncton commence à produire et à véhiculer un discours sur la violence sexuelle qui s'articule autour de la notion de consentement. L'idée que « non, c'est non » a été la formulation initiale de ce discours qui s'est transformé, à partir de 2016, en un discours sur la culture du viol pour enfin, en 2017, se présenter comme un discours sur la culture du consentement.

La forme actuelle de ce discours insiste sur l'idée que « le consentement sexuel, c'est clair, volontaire, réciproque, renouvelable et [qu']on peut le retirer à tout moment. Sans consentement, c'est de la violence à caractère sexuel » (Service d'intervention en violence à caractère sexuel, Université de Moncton). Comment comprendre l'évolution du vocabulaire utilisé pour parler de la violence sexuelle ?

En 2015, la Fédération étudiante pilote également une campagne de sensibilisation sur le consentement intitulée « Non, c'est non », dans laquelle on se sert d'une tasse de thé pour parler de consentement. La Fédération étudiante met d'ailleurs en vente des tasses afin d'encourager la discussion sur le consentement dans la communauté étudiante. Différents scénarios en langue vernaculaire permettent d'expliquer le consentement à la population étudiante :

> Si tu demandes à ton partenaire, « Hey, est-ce que tu voudrais une tasse de thé ? », et qu'il répond « *Damn right*, j'adorerais avoir une tasse de thé, merci ! », alors tu sais qu'il veut une tasse de thé. [...] Si ton partenaire répond par la négative « Non, merci », c'est simple ; tu ne lui fais pas de thé et tu ne le chicanes pas parce qu'il n'en veut pas. Il ne veut pas de thé, d'accord ? Il est aussi possible qu'il réponde par l'affirmative, mais que quand le thé arrive, il change d'idée. Évidemment, après ton effort, ça peut être agaçant, mais la vérité c'est qu'il n'a aucune obligation de boire le breuvage. [...] Si quelqu'un commence à boire le thé et qu'il s'endort pendant qu'il le boit, arrête de lui verser du thé immédiatement. Parce que les gens inconscients ne veulent pas de thé ! Fais-moi confiance. Si quelqu'un a accepté de prendre le thé avec toi samedi dernier, cela ne veut pas dire qu'il veut que tu lui en fasses une tasse tous les jours. Ces gens ne veulent pas que tu arrives à l'impromptu chez eux et que tu les forces à boire du thé en criant « MAIS TU VOULAIS DU THÉ LA SEMAINE DERNIÈRE ! ». Ils ne veulent pas non plus se réveiller avec la bouche pleine, avec toi qui cries « MAIS TU VOULAIS DU THÉ HIER SOIR ! » [...] Que ce soit du thé ou du sexe, le consentement ça compte ! (blogue *Actualités FÉÉCUM,* 26 août 2015)

Remarquons que la mise en situation formulée par la Fédération étudiante ne précise pas le genre de la personne à qui on offre du thé, permettant ainsi d'envisager que les victimes (les personnes qui n'ont pas donné leur consentement) peuvent être autant des hommes que des femmes[12]. Cette campagne de sensibilisation au consentement s'inscrit dans un

12. L'emploi du masculin générique dans l'extrait ne me permet pas d'avancer que les personnes non binaires sont considérées dans les formes initiales de discours sur la violence sexuelle au campus de l'Université de Moncton.

Figure 1 Tasse, objet central de la campagne de sensibilisation au consentement sexuel. (Photo : FÉÉCUM, août 2015).

mouvement étudiant pancanadien de lutte contre la violence sexuelle en milieu universitaire[13]. Ainsi, les mouvements étudiants adoptent progressivement une posture féministe. En 2016, un texte publié dans le journal étudiant *Le Front* déplore l'absence de mesures préventives à l'Université de Moncton :

> Les lacunes concernant la prévention d'agressions sexuelles sur le campus de l'Université de Moncton se font ressentir. […] En 2015, la CBC publie une enquête exclusive sur le faible taux d'agressions sexuelles reportées [*sic*] sur les campus universitaires canadiens. Ainsi, il était possible de lire que le nombre d'agressions sexuelles rapportées sur le campus de Moncton entre 2009 et 2013 était de zéro. De son propre aveu, l'Université de Moncton indique que ces chiffres ne sont pas un reflet fidèle de la situation sur le campus. Des informations additionnelles ont été publiées par la suite sur le site web de l'Université, mentionnant qu'au moins trois cas d'abus sexuels avaient été rapportés dans les trois dernières années. […] Quant aux avancements de l'Université de Moncton à ce propos, on peut apercevoir qu'il y a eu bien peu [*sic*]. Autre que la campagne « Non, c'est non », indépendante de l'université comme telle,

13. Deux cas de violence sexuelle à l'Université d'Ottawa en 2015 permettent de comprendre le climat de cette époque. Voir Isabelle LeBlanc, « La culture du viol : ça veut dire quoi ? », *Astheure,* 6 mars 2014, [En ligne], [https://astheure.com/2014/03/06/la-culture-du-viol-ca-veut-dire-quoi-isabelle-leblanc/] (2 février 2020).

> il n'y a toujours pas eu grand vent d'améliorations de la part de l'institution. (Camille Duguay, blogue *Codiac*, radio étudiante, 3 février 2016)

C'est aussi en 2016 que les médias à l'échelle nationale commencent à s'intéresser aux enjeux liés à la culture du viol et à la violence sexuelle en milieu universitaire, ce qui participe au changement d'attitudes et de pratiques sur les campus canadiens. À l'Université de Moncton, la culture du viol sera éventuellement reconnue et définie dans l'article 1.2.2 de la Politique sur la violence à caractère sexuel adoptée en 2018. Dans cette politique, l'Université de Moncton reconnaît que

> [l]a culture du viol est une culture selon laquelle les idées dominantes, les pratiques sociales, les images médiatisées et les institutions sociétales tolèrent, implicitement ou explicitement, la violence à caractère sexuel en normalisant ou en minimisant sa gravité et en blâmant les personnes victimes pour la violence qu'elles ont vécue. Une telle culture facilite l'apparition et le développement de toutes les sortes de violence à caractère sexuel.
>
> Ainsi, ces manifestations s'illustrent notamment par le fait de remettre en question systématiquement la véracité des propos des personnes victimes, de rendre la personne s'estimant avoir été victime responsable pour la violence qu'elle a vécue, de susciter un sentiment de culpabilité chez la personne s'estimant avoir été victime en lui faisant porter le poids des impacts négatifs de la dénonciation sur la personne visée et son entourage, ou encore d'encourager la banalisation ou l'érotisation de la violence à caractère sexuel dans les médias. (Université de Moncton, décembre 2017)

La définition proposée par l'Université de Moncton précise bien que la culture du viol inclut la banalisation de la violence sexuelle et ne se limite pas au viol comme tel. L'insatisfaction étudiante quant au retard de l'Université de Moncton à reconnaître la violence sexuelle sur le campus ne prendra plus la même forme après l'adoption de cette nouvelle politique. Mais alors, comment comprendre l'articulation entre la culture du viol et le consentement dans le discours sur la violence sexuelle ?

La culture du consentement à l'Université de Moncton : « Non, c'est non » et « Oui, c'est oui » ?

L'article 1.2.3 de la Politique sur la violence à caractère sexuel (2018) définit le consentement sexuel de la façon suivante :

> L'accord qu'une personne donne à une autre au moment de participer à une activité sexuelle. Ce consentement doit être donné de façon volontaire, c'est-à-dire qu'il doit s'agir d'un choix libre et éclairé. Le consentement n'est valable que s'il a été donné librement et de façon renouvelée. La personne doit être

apte à consentir et être en possession de ses moyens ; par conséquent, ses facultés ne doivent pas être affaiblies par quoi que ce soit, notamment par l'alcool, par les sédatifs ou par l'usage de toute autre drogue. Il est également essentiel que toutes et tous comprennent bien ce qui suit : ni le silence ni la non-communication ne doivent, en aucun cas, être interprétés comme un consentement. [...]

En plus de la définition présentée dans la Politique sur la violence à caractère sexuel, des affiches installées sur les babillards de différentes facultés permettent de sensibiliser la communauté universitaire à ce qui constitue (ou pas) un consentement sexuel :

Mon silence n'est jamais un consentement sexuel. Le consentement sexuel c'est clair, volontaire, réciproque, renouvelable et on peut le retirer à tout moment. Sans consentement, c'est de la violence à caractère sexuel.

Ce que je porte n'est pas un consentement sexuel. Le consentement sexuel c'est clair, volontaire, réciproque, renouvelable et on peut le retirer à tout moment. Sans consentement, c'est de la violence à caractère sexuel.

« Peut-être » ou « Je ne sais pas » n'est pas un consentement sexuel. Le consentement sexuel c'est clair, volontaire, réciproque, renouvelable et on peut le retirer à tout moment. Sans consentement, c'est de la violence à caractère sexuel.

« Flirter » avec toi n'est pas un consentement à des activités sexuelles. Le consentement sexuel c'est clair, volontaire, réciproque, renouvelable et on peut le retirer à tout moment. Sans consentement, c'est de la violence à caractère sexuel.

« Oui » hier ne veut pas dire « oui » aujourd'hui. Le consentement sexuel c'est clair, volontaire, réciproque, renouvelable et on peut le retirer à tout moment. Sans consentement, c'est de la violence à caractère sexuel[14].

Ces messages sont publiés par le Service d'intervention en violence à caractère sexuel de l'Université de Moncton. En plus de ceux-ci, on retrouve sur le campus de Moncton une affiche produite par la Fédération canadienne des étudiantes et étudiants. Alors que les messages précédents misent sur la sensibilisation à ce qu'est le consentement, l'affiche suivante résume l'absence de consentement :

[...] Violer, c'est ne pas respecter le mot non. De toutes les manières, dans toutes les langues, NON, c'est NON.

Non : adv. « Réponse négative, refus ».

14. Les affiches sur lesquelles on peut lire ces messages sont produites par le Service d'intervention en violence à caractère sexuel de l'Université de Moncton.

No Means No
Non c'est non

Figure 2 Affiche de la Fédération canadienne des étudiantes et des étudiants installée sur le campus de Moncton (Photo : Isabelle LeBlanc, novembre 2019).

Contrairement au discours mis en circulation par le Service d'intervention en violence à caractère sexuel de l'Université de Moncton, ce dernier discours de la Fédération canadienne des étudiantes et des étudiants reproduit plusieurs préjugés en lien avec la langue. D'une part, l'universalité des termes « oui » et « non » ne va pas de soi, comme le souligne cette affiche, car certaines langues, comme la langue gaélique, n'ont pas cette équivalence lexicosémantique. D'autre part, en situation interactionnelle, les études en analyse conversationnelle mentionnent le fait que

> [*t*]*he slogan « just say no » implies that nothing other than « no » needs to be said* [...] *while our data suggest that young women's concerns about appropriate refusal technique are fairly sophisticated compared with the crass advice to « just say no ». Date rape education (and similar) programs are prescribing behavior which violates basic cultural norms and social etiquette, and young women know this.* [...] (Kitzinger et Frith, 1999 : 304-305)[15]

Autrement dit, « [*i*]*t should not be necessary for a woman to say "no" in order for her to be understood as refusing sex* » (*ibid.* : 306)[16]. Dans les échanges conversationnels quotidiens, la socialisation langagière codifie certaines pratiques langagières et le « non » direct et ferme est le plus souvent associé à une forme d'impolitesse que la plupart des locutrices et locuteurs cherchent à éviter en adoptant des stratégies de refus permettant d'expliquer pourquoi la personne refuse quelque chose dans un contexte précis[17]. Les recherches en analyse conversationnelle ne nous permettent pas de conclure que l'absence de consentement se réduit à « non, c'est non » et encore moins à l'idée que violer, ce n'est pas respecter le « non », car violer, c'est poser un acte de violence envers quelqu'un et non pas tout simplement manquer de respect envers les pratiques langagières d'un individu. Les prescriptions linguistiques réservées aux femmes sont une forme

15. Le slogan « non, c'est non » implique que rien d'autre que « non » n'a besoin d'être dit [...] alors que nos données suggèrent que les préoccupations des jeunes femmes concernant la technique de refus appropriée sont assez sophistiquées par rapport au conseil grossier de « non, c'est non ». Les programmes d'éducation sur le viol (et autres programmes similaires) prescrivent un comportement qui viole les normes culturelles de base et l'étiquette sociale, et les jeunes femmes le savent. [...]
16. Il ne devrait pas être nécessaire qu'une femme dise « non » pour qu'elle soit comprise comme refusant le sexe (*ibid.* : 306).
17. Par exemple, locuteur A : « Veux-tu aller boire une bière ? » ; locuteur B : « (Oui, mais) pas ce soir, peut-être une autre fois ? »

de violence ordinaire qui relève de l'hygiène verbale (Cameron, 1995), car la présence ou l'absence de violence deviendra la responsabilité de la femme et non celle de l'homme. Les femmes ont donc le fardeau d'adopter un langage prescrit par des institutions patriarcales afin que la violence sexuelle soit reconnue comme telle. Pourtant, les femmes ne devraient pas être tenues linguistiquement ou juridiquement responsables d'une violence sexuelle par omission d'un « non » ou par usage fautif d'un « oui ».

De plus, réduire le viol à un problème de communication est une façon de reproduire certains stéréotypes de genre selon lesquels l'homme ne saurait pas comprendre le refus d'une personne sans l'expression d'un « non » direct, ce qui va à l'encontre des recherches sur les compétences langagières réelles des hommes (Cameron, 2007). Ce message, « non, c'est non », vise à préserver le corps de la femme par l'adoption d'une technique verbale, d'un comportement linguistique (« non, c'est non ») considéré comme irréaliste dans la majorité des échanges conversationnels de la vie quotidienne (Kitzinger et Firth, 1999). De meilleures politiques de sensibilisation sur les campus ne devraient pas reproduire cette binarisation des comportements langagiers (féminins et masculins) et ainsi présumer que les victimes sont systématiquement des femmes ou même que la violence à caractère sexuel survient toujours entre genres.

Culture du consentement : remplacer « non, c'est non » par « oui, c'est oui » ?

Depuis 2017, la Fédération étudiante de l'Université de Moncton collabore avec des organismes féministes (Regroupement féministe du Nouveau-Brunswick et Carrefour pour femmes) à une nouvelle campagne de sensibilisation sur l'importance du consentement. Cette fois, ce ne sera pas le « non, c'est non » qui sera privilégié comme message principal ni la culture du viol qui sera ciblée comme paradigme de représentations à déconstruire. L'idée centrale de la campagne de sensibilisation reposera plutôt sur la culture du consentement. Celle-ci entraînera-t-elle la fin de la culture du viol sur le campus ?

Selon un article paru en septembre 2017 dans la presse étudiante universitaire concernant la violence sexuelle, « [...] la FÉÉCUM veut "créer une culture de consentement" » (Dayna Muzey, blogue *Codiac*, radio étudiante, 6 septembre 2017). Le consentement est depuis présenté par la formule « sans oui, c'est non », choisie lors de la campagne de la Fédération des associations étudiantes du campus de l'Université de Montréal en 2014. L'idée est de laisser le « non » de côté, car plusieurs femmes n'utilisent pas ce mot dans l'expression d'un refus lors d'une situation de violence sexuelle. Le glissement sémantique s'opère en ne cherchant plus autant la présence du « non » (refus = non-consentement), mais la présence du « oui » (accord = consentement). Un mot-clic a été créé pour l'événement, #ConsentementUdeM, afin de promouvoir la culture du consentement, c'est-à-dire

> [u]ne culture dans laquelle la notion prédominante de la sexualité est axée sur le consentement mutuel. C'est une culture qui ne force personne à faire quoi que ce soit, qui respecte l'autonomie corporelle, et qui croit que la personne elle-même est toujours la mieux placée pour déterminer ses propres désirs et besoins. Le consentement à toute activité est continuel, donné sans contrainte, éclairé et enthousiaste. (Projet #ConsentementUdeM, 2017)

La réciprocité est au cœur de la culture du consentement, ce qui permet de tenir compte de l'importance de l'échange interactionnel. Le 28 février 2018, l'Université de Moncton accueille sur le campus un atelier sur la culture du consentement. La couverture médiatique de cet événement précise ceci :

> « C'est important qu'on ait cette discussion-là partout [mais aussi] parce que l'université c'est un milieu où peuvent naître des situations de violence à caractère sexuel », lance d'entrée de jeu Geneviève Latour, directrice du Centre d'agression sexuelle du Sud-Est.
>
> Celle qui a offert l'atelier a invité les participants à se questionner sur le rôle à jouer de l'université, des associations étudiantes et, plus largement, de la communauté étudiante dans un changement de culture.
>
> Le souhait, c'est de passer de la culture dite du viol, à la culture du consentement. « Viser la culture du consentement dans la société c'est grand, mais ici sur le campus, c'est vraiment atteignable », souffle l'étudiante à la maîtrise en travail social.
>
> L'objectif est aussi de former, en quelque sorte, des étudiants-ressources. Les étudiants qui participent à ce genre d'atelier peuvent par la suite aiguiller des collègues ou encore signaler des comportements moins acceptables.
>
> Pour voir cette culture du consentement s'installer, il faut également s'entendre sur les définitions. Mme Latour a donc consacré une partie de son atelier à discuter de la signification du concept de consentement.
>
> « La culture du viol fait qu'on normalise, qu'on banalise certaines attitudes et certains comportements [...] on pense que ça fait partie de la société et que

> c'est normal », explique la spécialiste de la violence à caractère sexuel. (*L'heure de pointe-Acadie avec Amélie Gosselin,* Radio-Canada, 28 février 2018)

L'adoption d'une culture du consentement sur le campus de Moncton exigerait une révision des pratiques discursives actuelles en ce qui concerne les slogans utilisés dans la discussion sur le consentement. Autrement dit, il faudrait davantage miser sur la langue en tant qu'objet d'interprétation et sur l'importance des compétences langagières lors de l'échange conversationnel permettant d'exprimer le refus ou le désir de plusieurs manières différentes.

Selon Mary Graw Leary (2016), le fait de promouvoir la culture du consentement est un mouvement de changement social important, cependant, celle-ci doit être adéquatement définie afin de ne pas créer plus de confusion que de solution réelle en ce qui concerne la violence sexuelle en milieu universitaire. Ainsi, la culture du consentement peut faire partie des réformes sociales dans la prévention et le traitement de la violence sexuelle, mais pour cela, les normes du consentement doivent évoluer, et ce travail normatif ne peut pas se limiter au campus universitaire. Sans changement social plus large, incluant dans le système judiciaire, l'idée qu'une « culture du consentement peut facilement s'installer sur un campus » est fragile, car le milieu universitaire n'évolue pas à l'écart du reste de la société et de la langue utilisée pour interpréter celle-ci. L'activisme en faveur d'une culture du consentement peut aussi se faire par une réflexion sur la langue en interaction, sans quoi cela limite l'influence réelle d'une telle culture, qui pourrait mener à la transformation des représentations sociales des rapports de genre en situation intime.

De plus, recourir à des mots comme « oui » ou « non » pour résumer le consentement ne permet pas de tenir compte du fait que les actes de langage sont performatifs et sujets à interprétation. Ainsi, ces deux mots ne renvoient pas toujours au même sens, de manière automatique. Vouloir ainsi figer le débat sur le consentement autour de « cultures » qui se résumeraient aux slogans « sans oui, c'est non » ou « non, c'est non » évacue l'ambiguïté réelle au cœur du concept de consentement (Fraisse, 2017).

Conclusion

Dans ce texte, j'ai voulu souligner l'émergence d'un discours sur la violence sexuelle à l'Université de Moncton. Ce campus universitaire, francophone et acadien, produit pour la première fois de son histoire un discours d'influence féministe portant sur le corps des femmes en Acadie. En introduction, j'ai proposé d'examiner le contexte d'émergence de ce discours et son déploiement à l'aide de différentes sources écrites. Mon analyse propose une lecture critique de ce discours dont le cadre théorique est issu de la sociolinguistique et de l'analyse conversationnelle permettant d'envisager la langue comme un objet interprétatif non figé. Le corpus montre bien qu'il y a des similitudes entre le discours officiel de l'Université de Moncton et le discours étudiant, quoique ce dernier soit plus revendicateur et depuis plus longtemps, sur les questions féministes et, plus particulièrement, sur le corps des femmes dans le milieu universitaire acadien. Désormais, le discours sur la violence sexuelle à l'Université de Moncton existe, mais le cumul rapide de concepts jargonneux risque de compromettre la compréhension des enjeux auprès des membres de la communauté universitaire (par exemple, il peut exister un flou entre les notions de violence à caractère sexuel, de culture du viol et de culture du consentement).

La perspective féministe interventionniste domine le discours actuel, et même si cela a mené à un changement de paradigme important au sein de l'institution, cela signifie aussi que le discours actuel mise davantage sur l'action que sur la compréhension d'éléments théoriques complexes. De plus, le fait d'écarter la langue comme objet d'analyse dans ces discours simplifie à outrance la complexité du consentement dans l'interaction. La langue n'est pas figée, les situations non plus. Il ne faut donc pas chercher à homogénéiser les récits liés à la violence sexuelle ni à créer un stéréotype de celle-ci. Taire l'hétérogénéité de la violence sexuelle peut mener à exclure certains récits qui se révéleraient non conformes au discours véhiculé sur le consentement et ne permet pas de comprendre les frontières floues entre soi et l'autre, entre le dit et le non-dit, entre le verbal, le non-verbal et le para-verbal.

Les campagnes de sensibilisation basées sur des slogans réducteurs peuvent contribuer à blâmer ou à responsabiliser les victimes qui ont utilisé d'autres techniques langagières pour communiquer un refus, ce qui participe à une forme de contrôle de l'hygiène verbale des femmes: comment *devrait* parler une femme pour se faire comprendre (Cameron, 1995).

Il ne faut pas oublier que, dans certaines circonstances, des personnes peuvent utiliser le « oui » dans le but de calmer l'agresseur et de prévenir l'escalade de la violence, sans que le consentement soit réel. Céder en utilisant le « oui » n'est pas non plus une preuve de consentement. Il faut donc arriver à une meilleure compréhension des études sociolinguistiques et conversationnelles lors des campagnes de sensibilisation afin d'éviter de reproduire des stéréotypes quant aux compétences langagières réelles des locutrices et des locuteurs sans quoi la culture du viol et la culture du consentement se heurteront au même problème social : la langue comme objet interprétatif au cœur de la violence sexuelle. La question n'est pas nécessairement de savoir comment *dire*, mais plutôt comment *interpréter* ce dire en interaction en tenant compte des relations de pouvoir et des libertés de résistance (Foucault, 1971).

Bibliographie

Anonyme (1972). « Bouge un peu ! T'engraisses ma cochonne », *La Mèche*, vol. 1, nº 1 (mars).

Anonyme (2017). « Message haineux de nature pornographique envoyé aux étudiants de l'Université de Moncton », *Ici Nouveau-Brunswick,* Radio-Canada, 26 février, [En ligne], [https://ici.radio-canada.ca/nouvelle/1019158/message-haineux-de-nature-pornographique-envoye-aux-etudiants-de-luniversite-de-moncton] (2 février 2020).

Anonyme (2017). « Courriels malveillants à l'Université de Moncton : usurpation d'identité en cause », *L'Actualité,* 27 février, [En ligne], [https://lactualite.com/actualites/nb-luniversite-de-moncton-se-dit-outree-par-lenvoi-de-courriels-malveillants/] (2 février 2020).

Anonyme (2017). « Violence sexuelle : un sujet tabou chez bien des étudiants », *Acadie Nouvelle,* 24 mars, [En ligne], [https://www.umoncton.ca/nouvelles/journaux/6050.pdf] (2 février 2020).

Atkinson, John Maxwell, et John Heritage (1984). *Structures of Social action: Studies in Conversational Analysis,* Cambridge, Cambridge University Press.

Badinter, Élisabeth (2003). *Fausse route,* Paris, Odile Jacob.

Beres, Melanie (2010). « Sexual Miscommunication?: Untangling Assumptions about Sexual Communication between Casual Sex Partners », *Culture, Health and Sexuality,* vol. 12, n° 1, p. 1-14.

Bergeron, Manon, *et al.* (2016). *Violences sexuelles en milieu universitaire au Québec : rapport de recherche de l'enquête ESSIMU,* Montréal, Université du Québec à Montréal.

Bretz, Andrew (2014). « Making an Impact ?: Feminist Pedagogy and Rape Culture on University Campuses », *ESC,* vol. 40, n° 4, p. 17-20.

Butler, Judith (2016). Défaire le genre. Paris, Éditions Amsterdam.

Cairns, Kathleen (1993). « Sexual Entitlement and Sexual Accomodation: Male and Female Responses to Sexual Coercion », *Canadian Journal of Human Sexuality,* vol. 2, p. 203-214.

Cameron, Deborah (1985). *Feminism and Linguistic Theory,* Londres, Palgrave-Macmillan.

Cameron, Deborah (1995). *Verbal Hygiene,* Londres, Routledge.

Cameron, Deborah (2007). *The Myth of Mars and Venus: Do Men and Women Really Speak Different Languages?,* Oxford, Oxford University Press.

Campbell, B. Kay, et Dean Barnlund (1977). « Communication Patterns and Problems of Pregnancy », *American Journal of Orthopsychiatry,* vol. 47, p. 134-139.

Cardinal, Linda (1992). « La recherche sur les femmes francophones vivant en milieu minoritaire : un questionnement sur le féminisme », *Recherches féministes,* vol. 5, n° 1, p. 5-29.

Clavette, Huguette, et Isabelle McKee-Allain (1983). « Les femmes acadiennes du Nouveau-Brunswick : féminité, sous-développement et ethnicité », *Égalité,* n° 10, p. 19-36.

Comeau, Clarence, Georges Légère et Guy Babineau (1973). « L'Acadienne : être opprimée et être d'oppression ; être aliénée et être d'aliénation », *Tempête* (janvier).

Corcoran, Carole (1992). « From Victim Control to Social Change: A Feminist Perspective on Campus Rape Prevention Programmes », dans J. C. Chrisler and D. Howard, *New Directions in Feminist Psychology: Practice, Theory and Research,* New York, Springer.

Craig, Elaine (2018). *Putting Trials on Trial: Sexual Assault and the Failure of the Legal Profession,* Montréal, McGill-Queen's University Press.

Danet, Brenda (1980). « Language in the Legal Process », *Law and Society Review,* vol. 14, n° 3, p. 445-564.

Delvaux, Martine (2019). *Le boys club,* Montréal, Les éditions du remue-ménage.

Dodge, Alexa (2016). « Digitizing Rape Culture : Online Sexual Violence and the Power of the Digital Photograph », *Crime, Media, Culture: An International Journal,* vol. 12, n° 1, p. 65-82.

Doiron, Antony (2017). « Grave cas de vengeance pornographique à l'Université de Moncton », *Acadie Nouvelle,* 27 février, [En ligne], [https://www.acadienouvelle.

com/actualites/2017/02/26/exclusif-grave-cas-de-vengeance-pornographique-a-luniversite-de-moncton/] (2 février 2020).

Duguay, Camille (2016). « Agressions sexuelles sur le campus : quel est l'état des services ? », blogue *Codiac,* presse étudiante, 3 février, [En ligne], [https://codiacfm.ca/etatdesservices/] (2 février 2020).

Ehrlich, Susan (2001). *Representing Rape : Language and Sexual Consent,* Londres, Routledge.

Ehrlich, Susan, et Ruth King (1994). « Feminist Meanings and the (De)Politicization of the Lexicon », *Language in Society,* vol. 23, n° 1, p. 59-76.

Fairclough, Norman, et Ruth Wodak (1997). « Critical Discourse Analysis », dans Teun A. Van Dijk (dir.), *Discourse as Social Interaction,* Volume II, Londres, Sage, p. 258-284.

Foucault, Michel (1971). *L'ordre du discours,* Paris, Gallimard.

Fraisse, Geneviève (2017). *Du consentement,* 2e édition, Paris, Seuil.

Gal, Susan (1990). « Between Speech and Silence: The Problematics of Research on Language and Gender », *Pragmatics,* vol. 3, n° 1, p. 1-38.

Gesbert, Olivia (2017). « Consentir avec Geneviève Fraisse », *La Grande table (2e partie),* sur le site de France Culture, 27 octobre, [https://www.franceculture.fr/emissions/la-grande-table-2eme-partie/consentir-avec-genevieve-fraisse] (2 février 2020).

Gilbert, Neil (1991). « The Phantom Epidemic of Sexual Assault », *The Public Interest,* n° 103, p. 54-65.

Gourley, Eleanor C. (2016). « Getting to Yes-Means-Yes: Re-thinking Responses to Rape and Rape Culture on College Campuses », *Washington University Journal of Law and Policy,* vol. 52, p. 195-225.

Grandisson, Sarah-Anne (2015). « Procurez-vous la tasse de thé pour ceux et celles qui consentent à boire du thé », blogue *Actualités FÉÉCUM,* 26 août, [En ligne], [https://www.feecum.ca/actualites/notre-blogue/374-procurez-vous-la-tasse-de-the-pour-ceux-et-celles-qui-consentent-a-boire-du-the] (2 février 2020).

Graw Leary, Mary (2016). « Affirmatively Replacing Rape Culture with Consent Culture », *Texas Tech Legal Review,* vol. 49, n° 1, p. 1-50.

Heller, Monica (2002). *Éléments d'une sociolinguistique critique,* Paris, Éditions Didier.

Heller, Monica (2007). « Gender, Bilingualism and Political Economy », dans B. McElhinny (dir.), *Words, Worlds and Material Girls: Language, Gender and Political Economy,* Berlin, Mouton de Gruyter.

Howard, Marion (1985). « How the Family Physician can help young teenagers postpone sexual involvement », *Medical Aspects of Human Sexuality,* vol. 19, p. 76-87.

Jozkowski, Kristen N. (2015). « "Yes Means Yes"? Sexual Consent Policy and College Students, Change », *The Magazine of Higher Learning,* vol. 47, n° 2, p. 16-23.

KITZINGER, Celia, et Hannah FRITH (1999). «Just Say No?: The Use of Conversation Analysis in Developing a Feminist Perspective on Sexual Refusal», *Discourse and Society*. vol. 10, n° 3, p. 293-316.

KROSKRITI, Paul (1999). «Language Ideologies, Language Shift, and the Imagination of a Western Mono Community: The Recontextualization of a Coyote Story», dans J. Verschueren (dir.), *Language and Ideology: Selected Papers from the 6th International Pragmatics Conference – Vol. 1*, Antwerp, International Pragmatics Association, p. 270-289.

LATOUR, Geneviève (2018). «Créer des ambassadeurs de la culture du consentement», *L'heure de pointe-Acadie avec Amélie Gosselin*, Radio-Canada, 28 février, [En ligne], [https://ici.radio-canada.ca/premiere/emissions/l-heure-de-pointe-acadie/segments/reportage/61247/culture-viol-atelier-consentement] (2 février 2020).

LEBLANC, Isabelle (2014). «La culture du viol: ça veut dire quoi?», *Astheure*, 6 mars, [En ligne], [https://astheure.com/2014/03/06/la-culture-du-viol-ca-veut-dire-quoi-isabelle-leblanc/] (2 février 2020).

LEBLANC, Isabelle (2019). *Femmes, langue, construction identitaire: un portrait sociolinguistique de l'Acadie*, thèse de doctorat (sciences du langage), Moncton, Université de Moncton.

LÉGER, Micheline (1972). «La mèche Playboy!», *La Mèche*, vol. 1, n° 2 (avril).

MARCANTONIO, Tiffany L., Kristen N. JOZKOWSKI et Wen-Juo LO (2018). «Beyond "Just Saying No": A Preliminary Evaluation of Strategies College Students Use to Refuse Sexual Activity"», *Archives of Sexual Behavior*, vol. 47, n° 7, p. 1-11.

MCKEE-ALLAIN, Isabelle (1995). *Rapports ethniques et rapports de sexes en Acadie: les communautés religieuses de femmes et leurs collèges classiques*, thèse de doctorat (sociologie), Montréal, Université de Montréal.

MCLAUGHLIN, Mireille, et Monica HELLER (2011). «Dieu et patrie: idéologies du genre, de la langue et de la nation au Canada francophone», dans A. Duchêne et C. Moïse (dir.), *Langage, genre et sexualité*, Montréal, Éditions Nota bene, p. 253-274.

MINISTER, Meredith (2018). *Rape Culture on Campus*, Lanham (Minnesota), Lexington Books.

MOSCOVICI, Serge (1997). «Des représentations collectives aux représentations sociales: éléments pour une histoire», dans D. Jodelet (dir.), *Les représentations sociales*, Paris, Presses universitaires de France, p. 79-103.

MUZEY, Dayna (2017). «Violence sexuelle: la FÉÉCUM veut "créer une culture de consentement"», blogue *Codiac*, presse étudiante, 6 septembre, [En ligne], [https://codiacfm.ca/violence-sexuelle-feecum-etudiant-culture-consentement-universite-moncton-acadie/] (2 février 2020).

Regroupement féministe du Nouveau-Brunswick (2017). Projet #ConsentementUdeM, [En ligne], [https://www.rfnb.ca/projets] (2 février 2020).

RICŒUR, Paul (1986). *Du texte à l'action: essais d'herméneutique*. Paris, Seuil.

Roiphe, Katie (1993). *The Morning After: Sex, Fear, and Feminism on Campus*, New York, Little, Brown and Company.

Savoie, Lise, *et al.* (2018). « L'invisibilité de la violence sexuelle *ordinaire* chez les étudiantes universitaires : des expériences à comprendre », *Recherches féministes,* vol. 31, n° 2, p. 141-158.

Stotzer, Rebecca, et Danielle MacCartney (2016). « The Role of Institutional Factors on On-Campus Reported Rape Prevalence », *Journal of Interpersonal Violence,* vol. 31, n° 16, p. 2687-2707.

Tamburri, Rosanna (2014). « En finir avec la violence sexuelle sur les campus », *Affaires universitaires*, 20 octobre, [En ligne], [https://www.affairesuniversitaires.ca/articles-de-fond/article/en-finir-violence-sexuelle-les-campus/] (2 février 2020).

Université de Moncton (2017). « L'Université de Moncton outrée par l'envoi de courriels malveillants à la communauté universitaire », Nouvelles de l'Université de Moncton, 27 février, [En ligne], [https://www.umoncton.ca/nouvelles/info.php?page=20&langue=0&id=19194&campus_selection=all] (2 février 2020).

Université de Moncton (2017). « Mesures préventives pour mettre fin à la cyber-violence », Nouvelles de l'Université de Moncton, 28 février, [En ligne], [https://www.umoncton.ca/nouvelles/info.php?page=20&langue=0&id=19216&campus_selection=all] (2 février 2020).

Université de Moncton (2017). « Mise à jour : mesures préventives pour mettre fin à la cyber-violence », Nouvelles de l'Université de Moncton, 2 mars, [En ligne], [https://www.umoncton.ca/nouvelles/info.php?page=20&langue=0&id=19222&campus_selection=all] (2 février 2020).

Université de Moncton (2017). « La Politique sur la violence à caractère sexuel », sur le site de l'Université de Moncton, décembre, [https://www.umoncton.ca/umce-saee/files/umce-saee/wf/wf/pdf/umoncton_politique_portant_sur_la_violence_a_caractere_sexuel_decembre_2017.pdf] (2 février 2020).

Université de Moncton (2017). « Faits saillants de la réunion du Conseil des gouverneurs », Nouvelles de l'Université de Moncton, 9 décembre, [En ligne], [https://www.umoncton.ca/nouvelles/info.php?page=20&langue=0&id=20187&campus_selection=m] (2 février 2020).

Université de Moncton (2018). « L'Université de Moncton adopte la Politique sur la violence à caractère sexuel », Nouvelles de l'Université de Moncton, 31 janvier, [En ligne], [https://www.umoncton.ca/nouvelles/info.php?page=1&id=20344&campus_selection=all] (2 février 2020).

Warzak, William J., et Terry J. Page (1990). « Teaching Refusal Skills to Sexually Active Adolescents », *Journal of Behavioral Therapy and Experimental Psychiatry,* vol. 21, p. 133-139.

Wooten, Sara C., et Roland W. Mitchell (2017). *Preventing Sexual Violence on Campus: Challenging Tradition Approaches through Program Innovation*, New York, Routledge.

Le visage *trash* de la relève romanesque franco-ontarienne au féminin : le cas de Véronique-Marie Kaye et de Catherine Bellemare

Isabelle Kirouac Massicotte
Université du Manitoba

« [I]l n'y a guère, actuellement, de relève littéraire en Ontario français » (Hotte et Ouellet, 2016 : 7). Tel est le constat de Lucie Hotte et de François Ouellet dans *La littérature franco-ontarienne depuis 1996*, et la situation serait encore plus préoccupante du côté du roman (19). J'ajouterais à ces remarques qu'une percée de nouvelles voix féminines est encore plus ardue dans le contexte de la littérature franco-ontarienne (et, sans doute, des littératures minoritaires de façon générale), où une grande part de la production occultée est celle des femmes (Hotte, 2016 : 38), car celles-ci déjouent l'horizon d'attente de l'esthétique de l'exiguïté, qui serait délaissée par les écrivaines. En effet, les « petites » littératures ne seraient « pas pensées hors du champ de l'identitaire puisqu'elles sont perçues comme étant la voix des communautés fragiles » (Hotte, 2016 : 36). Cette esthétique se définit surtout par des « thématiques propres à la condition minoritaire, comme l'assimilation et le rapport difficile à l'autre » (Hotte, 2016 : 36). Les œuvres relevant de l'esthétique de l'exiguïté auraient « tendance à glorifier l'espace et l'exil », seraient souvent pourvues d'une « valeur cosmogonique » et ne feraient que « renvoyer au lieu dont elles émanent et seraient obsédées par leurs conditions d'existence » (Hotte, 2016 : 36-37). Dans le cas de la littérature franco-ontarienne, cette esthétique est perçue comme nécessairement liée à la cause franco-ontarienne, qui est implicitement portée par des hommes blancs. On pense surtout à Jean Marc Dalpé et à son hommage aux « bâtisseurs[1] »

1. Ici, l'utilisation du masculin est voulue, car l'univers dépeint par Dalpé, notamment dans *Gens d'ici* et *1932, la ville du nickel : une histoire d'amour sur fond de mine*, est profondément masculin. J'utilise l'expression « bâtisseurs » entre guillemets parce que le terme est nécessairement erroné dans un contexte colonial, puisqu'il nie l'existence, les savoirs et les structures autochtones déjà en place au moment de la colonisation.

Francophonies d'Amérique, n° 51 (printemps 2021), p. 39-58.

de l'Ontario français, à Patrice Desbiens[2], chantre de la dépossession sous toutes ses formes, ou encore à Daniel Poliquin, qui associe lui-même ses premières œuvres à « une impulsion idéologique[3] », comme en témoigne la teneur fortement militante de *Temps pascal*[4], qui met en scène la grève des mineurs, à Sudbury.

Bien qu'il soit exact de dire que la grille de lecture induite par l'esthétique de l'exiguïté a contribué à un certain désintérêt de la critique pour la production des femmes, il me semble que la question n'est pas de dépasser cette esthétique, mais bien d'actualiser certaines de ses caractéristiques qui n'ont pas été exploitées par la critique. À force de se concentrer sur la question linguistique, la création d'un récit des origines et l'espace comme ferment d'affirmation et de revendication, les commentatrices et les commentateurs de la littérature franco-ontarienne sont passés à côté de certains éléments qui fondent cette esthétique, qui peut et doit être pensée autrement. Dans son ouvrage pionnier *Les littératures de l'exiguïté* (1992), François Paré signalait d'emblée que « les principes évoqués s'appliquent dans l'ensemble à toutes les formes de production culturelle minoritaire. Car ce qui importe, c'est le rapport inégal au pouvoir » (13). Dans *Théories de la fragilité*, le chercheur ajoute que, parmi les « contingences politiques » à l'œuvre dans cette esthétique, se trouvent « le sentiment de minorisation, l'aliénation [et] l'exclusion du pouvoir » (1994 : 85). À mon sens, la prise en considération de ces différents éléments, intrinsèquement liés à l'esthétique de l'exiguïté, permettra d'actualiser cette dernière. Je souhaite ainsi montrer qu'une esthétique de l'exiguïté quelque peu renouvelée est présente dans les œuvres d'une certaine frange de la relève romanesque franco-ontarienne au féminin, même si la critique a souvent opposé l'écriture des femmes, jugée plus intimiste, à un tel courant. À l'instar de Marie Carrière, je crois que l'intimité « ne dissoci[e] pas l'écriture de l'engagement social ou politique » et que « [s]'il s'agit bien d'intimité [...], il n'y a pas pour autant de polarisation entre l'intériorité et l'extériorité, le personnel et le politique, le soi et

2. Patrice Desbiens, *Sudbury (poèmes 1979-1985). L'espace qui reste*, suivi de *Sudbury*, suivi de *Dans l'après-midi cardiaque*, Sudbury, Éditions Prise de parole, 2013, coll. « Bibliothèque canadienne-française ».

3. François Ouellet, « Daniel Poliquin : l'invention de soi », *Nuit blanche*, n° 62 (hiver 1995-1996), p. 56.

4. Daniel Poliquin, *Temps pascal*, Sudbury, Éditions Prise de parole, 2003 [1982].

l'autre» (2016: 215-216). Le fait que les écrivaines ne soient pas associées aux considérations politiques et sociales repose sur un malentendu selon lequel le politique et le social seraient nécessairement liés à la question linguistique. Or ce malentendu est entretenu par Monika Boehringer, qui affirme que «l'identité sociale et culturelle ne préoccupe plus ces écrivaines» et que la «subjectivité individuelle [...] l'emporte sur la solidarité» (2012: xvi). Je m'attarderai donc à l'esthétique de l'exiguïté telle qu'elle est investie par Véronique-Marie Kaye (*Andréanne Mars*, 2017) et Catherine Bellemare (*Une irrésistible envie de fuir*, 2017) qui, à partir d'une écriture *trash*[5], parviennent à rendre compte autrement du sujet minoritaire et de son existence en clignotement entre l'apparition, c'est-à-dire une présence et une affirmation ostentatoires, et la disparition, qui se situe du côté de l'assimilation et de la disparition (Paré, *Théories de la fragilité*, 1994). Le recours à des œuvres de la relève romanesque franco-ontarienne au féminin pour traiter de l'esthétique de l'exiguïté quelque peu déplacée ne revient pas à dire qu'il s'agit d'un phénomène nouveau. Il serait tout à fait faisable d'effectuer ce travail à partir des écrits de Marguerite Andersen, pour ne nommer qu'elle, qui font montre d'un féminisme et d'une solidarité entre femmes[6]. Mon choix s'est arrêté sur deux romans de la relève parce que cette question reste à ce jour très peu étudiée[7], mais aussi car les textes à l'étude soulèvent les questions de la diversité et de l'intersectionnalité d'une façon qui est, selon moi, inédite pour le roman franco-ontarien. Après avoir brièvement présenté les écrivaines et leur situation dans le champ littéraire franco-ontarien, j'aborderai la question du *trash* en relation avec l'esthétique de l'exiguïté avant d'enchaîner avec l'analyse des œuvres, qui se focalisera d'abord sur le voyeurisme et la sexualité chez Kaye et ensuite sur le *trash* comme retour du refoulé chez Bellemare.

5. Les deux écrivaines ont d'ailleurs participé à une table ronde sur l'imaginaire *trash* et la littérature lors du Salon du livre de l'Outaouais en 2017.

6. Voir Benoit Doyon-Gosselin et Maria Cristina Greco, «Le mal de mère: solidarités féminines dans l'œuvre de Marguerite Andersen et Hélène Harbec», *Tangence*, nº 117 (2018), p. 101-120.

7. Voir Isabelle Kirouac Massicotte et Pénélope Cormier, «Portraits et enjeux de la relève dans les littératures francophones du Canada», *@nalyses*, vol. 14, nº 1 (2019).

Véronique-Marie Kaye et Catherine Bellemare : leur œuvre et leur place dans la littérature franco-ontarienne

Véronique-Marie Kaye est une romancière et une dramaturge de l'est de l'Ontario, dont l'œuvre est presque entièrement publiée chez Prise de parole, à Sudbury. Elle peut être apparentée à la relève romanesque franco-ontarienne parce que sa venue à l'écriture est relativement récente, avec la publication d'un premier roman en 2010 (*Eulalie la cigogne*), mais aussi en raison de son œuvre substantielle (trois romans et une pièce de théâtre) et reconnue par l'institution. Je pense surtout au prix Trillium qui lui a été décerné en 2016 pour *Marjorie Chalifoux* et aux nombreuses mentions qu'elle a reçues pour sa pièce *Afghanistan*. Le roman qui nous intéresse ici, *Andréanne Mars*, a également reçu la reconnaissance du milieu littéraire en étant finaliste au Prix Champlain 2017 et en faisant l'objet de comptes rendus plutôt favorables[8], et ce, malgré le pari risqué du « roman de cul », que Vittorio Frigerio recommande « à tout lecteur et à toute lectrice qui a envie de passer un bon moment et qui ne s'offusque pas à la mention explicite de termes qu'on apprend d'habitude déjà enfant, dans la cour d'école » (2018 : 129). *Andréanne Mars* met en scène le personnage éponyme, résidente de Pleasant Park à Ottawa, adepte d'entraînement physique et voyeuse : elle espionne les ébats sexuels de ses locataires à leur insu. Divorcée à trois reprises et obsédée par son apparence, Andréanne Mars s'ennuie et cherche à donner un nouveau souffle à sa vie sexuelle grâce à ses vidéos pornographiques « maison », où se succèdent une série de personnages hétéroclites. Le roman est écrit dans un registre pornographique, et c'est d'ailleurs à cet égard que je lie la prose de Kaye au *trash*, j'y reviendrai. Dans cette œuvre, l'« apparition » correspond à la description crue et sans détour d'une sexualité atypique et la « disparition », à la tentation du conventionnel et de la norme que l'humour parvient difficilement à masquer.

8. Catherine Voyer-Léger, « Véronique-Marie Kaye. *Andréanne Mars,* Prise de parole, Sudbury, 2017, 216 p. ; 22,95 $ », *Nuit blanche*, n° 147 (été 2017), p. 41 ; Marie Charpentier, « Kaye, Véronique-Marie. *Andréanne Mars,* Sudbury, Prise de parole, 2017. 217 p. », *Voix plurielles*, n° 14.2 (2017), p. 189 ; Vittorio Frigerio, « Kaye, Véronique-Marie. *Andréanne Mars,* Sudbury, Prise de parole, 2017, 216 p. », *Dalhousie French Studies*, n° 111, p. 128-129.

Catherine Bellemare est une écrivaine qui réside à Gatineau, ce qui rend problématique sa place dans le champ littéraire franco-ontarien. Mais le cas de Gatineau ne saurait se comparer à celui d'autres villes québécoises en raison de son statut particulier: sa situation frontalière avec Ottawa et son appartenance à la région de la capitale nationale. Le contexte unique d'Ottawa-Gatineau nous oblige à considérer les identités multiples ainsi que la mobilité des écrivaines et des écrivains, qui peuvent appartenir à plus d'un corpus. La frontière entre Gatineau et Ottawa est particulièrement poreuse, quelqu'un peut facilement habiter du côté québécois de la rivière des Outaouais, mais passer la plupart de son temps du côté ontarien, que ce soit pour le travail, les études ou, tout simplement, pour les loisirs. Toutefois, l'appartenance de Bellemare au corpus franco-ontarien est surtout attestée par le choix de son lieu d'édition. Plutôt que de confier ses manuscrits à une maison d'édition québécoise, s'assurant ainsi d'une plus grande visibilité sur la scène littéraire québécoise, l'écrivaine a publié ses deux romans dans une maison franco-ontarienne, les Éditions David, qui ont pignon sur rue à Ottawa. Une telle décision relève à mon sens de l'engagement; Bellemare fait non seulement le choix de collaborer avec une maison d'édition franco-ontarienne, mais aussi celui de contribuer au rayonnement des lettres de l'Ontario français. C'est ce choix conscient, cette intention, qui me permet d'affirmer que les œuvres de Bellemare peuvent également s'inscrire dans le corpus franco-ontarien. Bellemare appartient clairement à la relève franco-ontarienne; sa venue à l'écriture est récente, elle est l'autrice de deux romans, publiés respectivement en 2017 et en 2018[9] dans la collection « Indociles » des Éditions David, une collection « décapante » qui, en « [r] ompant avec un certain conformisme, [...] propose des œuvres audacieuses et innovatrices au ton tantôt frondeur, tantôt satirique » (David, 2011 : en ligne). La jeune écrivaine jouit également d'une certaine reconnaissance et d'une visibilité, elle qui figurait parmi les invités d'honneur du Salon du livre de l'Outaouais en 2019. Il importe de signaler que ce salon, qui offre une programmation « Hors les murs », est l'un des principaux événements littéraires de la région : il relève autant de la vie culturelle gatinoise qu'ottavienne. Le principe est le même en ce qui concerne les soirées littéraires organisées au resto-bar Le Troquet, dans le Vieux-Hull, qui contribuent à faire connaître des auteurs et des autrices de part et d'autre de la rivière.

9. Catherine Bellemare, *Le tiers exclu*, Ottawa, Éditions David, 2018, coll. « Indociles ».

Son roman *Une irrésistible envie de fuir*, où l'on reconnaît notamment le Vieux-Hull et Ottawa, donne à lire une écriture crue et parfois brutale où se croisent les trajectoires de deux très jeunes femmes, Émilie et Anna, deux personnages marginalisés qui hésitent entre la reconnaissance liée au conformisme et une redéfinition des formes des choses qui passerait par la marge. Émilie, confrontée tôt dans la vie au monde de la drogue et de la prostitution, tente, une fois jeune adulte, de jouer le jeu de la société hétéronormative. Mais sa rencontre avec Anna, athlète qui vit avec l'anorexie et qui peine à révéler son homosexualité à ses parents conservateurs, la bouleverse et la secoue dans sa vie anesthésiée, la forçant à être elle-même. Sous la plume de Bellemare, le *trash* se manifeste en premier lieu dans la trame du roman, parfois glauque et qui refuse d'enjoliver les choses, mais aussi dans le *leitmotiv* de l'abject, véritable retour du refoulé – il s'agit ici de l'« apparition » – qui souligne la facticité de la norme, où l'on risque de disparaître dans le conformisme – c'est la disparition.

Trash et esthétique de l'exiguïté

Le *trash* et l'esthétique de l'exiguïté sont liés par leur relation à la marge. Ce qui est *trash* se situe ostensiblement dans la marge ; pour Mary Douglas, pionnière des *waste studies* auxquelles se rattache le *trash*, « *there is no such thing as dirt; no single item is dirty apart from a particular system of classification in which it doesn't fit* » (2015 [1966] : xvii). La saleté, le *trash* ne prennent leur sens que par rapport à une norme à laquelle ils ne correspondent pas. Douglas précise que la saleté est le produit d'un système qui ordonne et classe, car la mise en ordre implique nécessairement le rejet d'éléments jugés inappropriés. Cette idée de la saleté est la porte d'entrée de plusieurs systèmes symboliques de la pureté (Douglas, 2015 [1966] : 44), qui peuvent être liés au genre, à l'orientation sexuelle, à la classe sociale, à la race et même à la littérature. Dans *Les littératures de l'exiguïté*, Paré expose la mécanique de l'histoire littéraire, « qui est en fin de compte [l'histoire] du concept de dignité de la parole humaine, dûment formulée et inscrite dans l'Histoire, il semble toujours se produire, surtout dans l'enseignement, une occultation de l'indigne, dont on dira alors qu'il n'est pas de la littérature » (1992 : 21). À aucun endroit Paré n'utilise l'expression esthétique *trash* (ou du déchet, du détritus) pour expliciter sa pensée, mais force est de constater que l'indigne dont il parle est lié à la dévaluation.

À l'instar du *trash*, l'esthétique de l'exiguïté « suggère un rapport de nombres, mais aussi indissociablement une comptabilité des valeurs dans l'histoire. "Minoritaire" s'oppose évidemment à "majoritaire", mais aussi et surtout à "prioritaire" » (Paré, 1992 : 10). Le *trash*, c'est le hors-champ, ce qui est exclu du domaine du représenté, à l'image de la dépossession illustrée par l'esthétique de l'exiguïté. Dans les premières pages des *Littératures de l'exiguïté*, François Paré présente la marge comme « symbole du refus de disparaître » (1992 : 12). Le *trash* est cette marge qui non seulement refuse de disparaître, mais qui dé-range ; il se fait le révélateur du système : « *Dirt is the by-product of a systematic ordering and classification of matter, in so far as ordering involves rejecting inappropriate elements* » (Douglas, 2015 [1966] : 44), et rend visibles les mécanismes de l'exclusion. Le *trash* enfreint aussi l'ordre (Douglas, 2015 [1966] : 4), ce qui rejoint le propos de Paré sur l'indignité des marges : « L'indignité est un mode d'énonciation. Elle a l'indignation pour envers. L'indignation est son œuvre » (1992 : 59). Cette réappropriation de l'injure est aussi celle du *trash* qui, absolument dévalué et potentiellement destiné à disparaître, peut néanmoins affirmer sa présence dans le monde de façon ostentatoire, notamment par l'invective, la monstration et l'abject, opérant ainsi un mouvement de l'indignité vers l'indignation.

Dans le cas d'*Andréanne Mars* de Véronique-Marie Kaye, le *trash* est non seulement lié à la sexualité, il est également fortement apparenté au discours pornographique. Réglons d'emblée la question terminologique qui oppose souvent érotisme et pornographie. Selon Dominique Maingueneau, la différence entre pornographie et érotisme se construit à partir d'une série d'oppositions :

> direct vs indirect, masculin vs féminin, sauvage vs civilisé, fruste vs raffiné, bas vs haut, prosaïque vs poétique, quantité vs qualité, cliché vs créativité, masse vs élite, commercial vs artistique, facile vs difficile, banal vs original, univoque vs plurivoque, matière vs esprit. (2007 : 26)

Selon cette logique, le terme « pornographie » se rapproche de la conceptualisation du *trash*, car il fait lui aussi l'objet d'un déclassement, d'une dévaluation, au contraire de l'érotisme, jugé acceptable et littéraire. Cela fait écho aux propos de la linguiste Marie-Anne Paveau, selon laquelle « les spécialistes de littérature jugent que la pornographie n'est pas un objet légitime, qu'elle souffre d'un déficit de valeur esthétique : pour faire vite, que ce n'est pas de la littérature » (2014, ePub). Ainsi, les œuvres pornographiques sont le plus souvent dévaluées d'une façon similaire à celles qui relèvent du *trash*. Étudier le discours pornographique et le *trash* revient à déconstruire la valeur littéraire, qui est socialement déterminée. Ils ont en commun le pouvoir de la monstration et font tous les deux l'objet d'une condamnation, car ils dérangent l'ordre établi : « Taxer un phénomène de pornographique, c'est à la fois le stigmatiser et, potentiellement, l'élire au nom de son efficacité, c'est-à-dire sa capacité optimisée à produire des effets, à toucher des masses, à être perçu et connu par tous » (Aïm, 2013 : 40). Il importe de s'attarder aux rouages du discours pornographique pour bien en saisir la portée, car l'image mentale que l'on s'en fait généralement, comme celle que l'on se fait du *trash*, envahissante, est celle d'une démonstration de la bassesse humaine. Plusieurs types de normes sont mises à mal par la pornographie qui, selon Maingueneau, « est foncièrement transgressive, au sens où elle est vouée à subvertir la multitude de frontières sociales et psychologiques qui structurent les relations effectives » (2007 : 53). Pour véritablement devenir « ce discours qui menace les normativités installées » (Paveau, 2014 : ePub), la pornographie doit passer « de l'obscène à l'*on/scene*, selon la célèbre formulation de Linda Williams dans son introduction au collectif *Porn Studies* (2014), c'est-à-dire du caché au visible et de l'indicible au dicible » (Paveau, 2014 : ePub).

La pornographie est également pourvue d'un pendant plus traditionnel et problématique, qui renforce certaines normes au lieu de les troubler comme le fait la post-pornographie, plus en phase avec « la contestation de l'ordre social » (Paveau, 2014 : ePub) intrinsèque au script pornographique. Non seulement la pornographie traditionnelle ne sert pas l'incursion d'identités et de pratiques sexuelles nouvelles dans l'ordre dominant, elle les stigmatise encore davantage. Mais les femmes et autres « déviants du genre » peuvent s'emparer de cette violence qui est faite à leur endroit et de la dégradation qu'on leur inflige. Cet *empowerment* (autonomisation) passe surtout par des « formes pornographiques nouvelles et subversives, comme le porno féministe ou lesbien, le queer porn, l'alt porn, etc. » (Paveau, 2014 : ePub) qui s'appliquent à déconstruire la pornographie traditionnelle. « Discours hors les normes » (Paveau, 2014 : ePub), la pornographie ne prend véritablement tout son sens que si elle trouble les catégories produites par l'ordre dominant, comme le *trash*. Cette déstabilisation des normes est multifocale, intersectionnelle même, car la machine systémique qui crée de la déviance a pour cible la différence sous toutes ses formes.

L'écriture pornographique peut être une catégorie du *trash* privilégiée pour dire avec ostentation les vécus minoritaires, particulièrement celui des femmes dans le roman à l'étude. Mon analyse mettra à l'épreuve le potentiel subversif de l'écriture *trash* de Kaye, qui laisse également entrevoir une tentation conservatrice et kitsch, au sens où elle est liée aux grands mythes unificateurs et aux discours rassembleurs qui visent l'adhésion du plus grand nombre[10]. Le kitsch, puisqu'il est à l'image de la norme, se trouve à l'opposé du *trash*, foncièrement hors norme. Du côté d'*Une irrésistible envie de fuir* de Catherine Bellemare, c'est justement la facticité de la norme qui est mise en cause, à partir du traitement de l'abject qui vient perturber un état (Kristeva, 1980). Pour Éric Falardeau, l'abject est non seulement un objet de « dégoût et de fascination », mais il est aussi « l'expression d'une angoisse existentielle » qu'il « nous oblig[e] insidieusement à confronter » (2019 : 18). Telle est la fonction de l'écriture *trash* de Bellemare, qui agit tel un retour du balancier dans le monde trop lisse et aseptisé de la norme. Mais le *trash* s'inscrit dans une tension contre la conformité à la norme, véritable combat intérieur du personnage d'Émilie.

Voyeurisme et sexualité chez Véronique-Marie Kaye

L'écriture pornographique de Kaye est du registre de l'obscénité, « liée à l'ostentation, à l'exhibition, conformément à son étymologie (ob-scène, ce qui ne doit pas être montré, ce qui reste à côté de la scène). Il s'agit donc d'une transgression des normes de l'acceptable dans le domaine moral, social ou esthétique » (Paveau, 2014 : ePub). Sous la plume de Kaye, l'« apparition » passe par la monstration de la sexualité explicite et souvent atypique de personnages marginaux, car le roman met effectivement en scène la marginalité sous plusieurs formes, j'y reviendrai. Mais avant d'affirmer hors de tout doute que le discours pornographique, dans *Andréanne Mars,* subvertit la norme et déplace les marges du hors-champ vers le champ, il importe aussi de se pencher sur le pendant conservateur de la pornographie. En effet, « le texte pornographique, dans sa veine

10. À ce propos, voir Matei Calinescu, *Five Faces of Modernity : Modernism, Avant-garde, Decadence, Kitsch, Postmodernism*, Durham, Duke University Press, 1987.

traditionnelle, c'est-à-dire, disons-le, hétéro-centrée et privilégiant le plaisir phallique, même écrit par des femmes, fait un usage textuel fréquent du viol» (Paveau, 2014: ePub). Pour Sam Bourcier, la pornographie traditionnelle a pour fonctions principales «la renaturalisation de la différence sexuelle, la rigidification des identités de genre et des pratiques sexuelles» (2001: 46) et elle «exclut trop de monde: les femmes, les travailleurs du sexe, les BDSM, les gays, les lesbiennes, les trans, les "déviants" du genre en général. Et surtout, quand [elle] les représente, c'est dans le registre des perversions» (cité par Sarratia, 2010: en ligne). L'écriture pornographique de Kaye sera donc mise à l'épreuve à partir de ces différentes considérations de Bourcier sur la normativité et l'exclusivité de la pornographie traditionnelle.

Soulignons d'abord qu'un commentaire métatextuel de l'instance narrative convoque directement le discours pornographique, et ce, dès les premières pages du roman: «Il y a des malades qui sont accros à la porno et qu'on désintoxique à l'hôpital. Andréanne aurait été insultée si on lui avait dit que c'était son cas. Elle ne regardait jamais de porno. Ses images à elle, c'était de l'amour vrai qui venait d'à côté» (Kaye, 2017: ePub). Il est difficile de déterminer si la narration ironise ici; le voyeurisme d'Andréanne Mars est-il légitimé parce que les rapports sexuels observés sont motivés par l'amour ou bien cet extrait souligne-t-il plutôt l'hypocrisie de la protagoniste, qui consomme bel et bien une forme de pornographie? Tout au long du roman, un ton ironique et humoristique paraît employé pour atténuer des propos qui seraient autrement inacceptables. Quoi qu'il en soit, ce passage nous donne l'opinion d'Andréanne sur la pornographie: elle associe ceux qui la pratiquent à des «malades mentaux», donc à des êtres dont la marginalité n'est pas désirable (selon sa perspective), et oppose la pornographie à l'amour véritable. Ces éléments pointent dans la direction d'une certaine normativité, car toute consommation de matériel pornographique serait pathologique et la seule sexualité légitime serait celle qui est romancée à la sauce Harlequin. La tentation conservatrice, la tentation kitsch d'Andréanne Mars est aussi visible dans son passé récent marqué par une hétéronormativité rose bonbon: «De dix-neuf à vingt-six ans, elle s'était mariée trois fois pour les mêmes raisons: la robe, le gâteau, les ongles parfaits, les oiseaux et les papillons en plastique dans les cheveux. Pour être au centre de la fête; temporairement au centre de l'univers» (Kaye, 2017: ePub). Ironiquement, la sexualité d'Andréanne Mars n'a rien à voir avec l'érotisme élusif des romans à l'eau de rose, puisque la protagoniste semble avoir intériorisé les codes de la pornographie traditionnelle:

> [...] quand elle baisait, toutes les poses qu'elle prenait lui plaisaient. Martial disait être en possession d'un pénis sans pareil, ce qui faisait de lui un super baiseur extraordinaire. [...] Il disait: mets-toi là, lève ta robe, baisse tes bobettes, baise comme ça, mets-toi ça dans la bouche, montre-moi ton cul, présente-moi tes seins, mouille plus fort, rase-toi les poils ici et ici, fais comme ça avec tes lèvres, tourne ta langue plus vite, fais des sons, coupe le son, dis-moi que tu jouis comme une folle. [...] Mais comme elle était nounoune, sexuellement parlant, elle disait oui à tout. Bizarre? Oui. Douloureux? OK. Gênant? Je suis d'accord. Elle savait tout faire: mouiller, écarter les jambes, offrir la bouche, parfois l'anus. (Kaye, 2017: ePub)

Tout, dans cet extrait, rappelle le script pornographique traditionnel: des poses à la fragmentation des corps en passant par le phallocentrisme et l'absence d'agentivité presque totale de la protagoniste qui, telle une automate, se contente d'exécuter les actions qui sont attendues d'elle, renforçant ainsi les identités de genre. Ce passage met en scène un personnage déconnecté de son corps et de ses désirs; après l'échec de ses trois unions, Andréanne Mars renonce, du moins pour un moment, à avoir des relations sexuelles et en viendra à se masturber en regardant ses locataires se livrer à des actes sexuels. De cette façon, l'œuvre se lit un peu comme un roman d'apprentissage de la sexualité dans lequel la protagoniste se réapproprie son corps et ses désirs.

La posture nouvellement adoptée par la protagoniste est, dans un certain sens, subversive; en espionnant les ébats sexuels de ses locataires, elle se fait voyeuse, un rôle généralement réservé aux hommes, comme l'atteste le *male gaze*, cette perspective masculine et hétérosexuelle qui représente les femmes comme des objets sexuels disponibles pour le plaisir du regardeur (Mulvey, 1999 [1975]). C'est de façon accidentelle qu'Andréanne Mars commence à filmer la sexualité des autres, après avoir installé des caméras dans son duplex pour s'assurer que les ouvriers en charge des rénovations travaillent convenablement, ouvriers qui se livreront eux aussi à des actes sexuels:

> Le grand-gros resta planté là, au beau milieu de la pièce, les bras ballants. Le petit roux s'approcha de lui, mit sa main sur le devant de son pantalon et frotta un peu. Puis il souleva le ventre du grand-gros, enfonça ses deux mains dans le pantalon avec difficulté. Trouva le bouton, fit glisser la braguette; déculotta le grand-gros et se mit à genoux devant lui pour une fellation d'une rapidité et d'une efficacité remarquables. Le grand-gros souffla de plaisir, puis

> s'effondra dans un tourbillon de poussière blanche, son pantalon encore roulé sur ses chevilles. [...] Les gars de Gatineau venaient de baiser dans ses caméras. D'ordinaire, Andréanne s'en foutait complètement, de la sexualité homosexuelle, entre hommes ou entre femmes. Mais voilà qu'elle ne s'en foutait plus du tout. Elle trouvait même cela d'une importance extrême. Ces deux ouvriers qui s'enfargeaient à moitié nus sur les vestiges de sa cuisine... Même pas beaux, les gars. Ou très loin de la beauté. Ou, en tout cas, de l'idéal nord-américain du gars belle tête beau corps... [...] Quelle genre de femme mouillait à regarder des hommes se sucer la graine? Eh bien, elle. Elle était ce genre-là. (Kaye, 2017: ePub)

Ce passage apporte quelques précisions sur le rapport qu'entretient Andréanne Mars à la pornographie: ce n'est pas tant la pornographie en soi qu'elle abhorre, mais plutôt la pornographie traditionnelle. Cet extrait illustre le refus des corps souvent parfaits que donnent à voir habituellement les vidéos pornographiques, et donc un certain parti pris pour la diversité corporelle. Malgré cette «apparition» du corps gros et du corps petit, bref de corps masculins marginalisés, la question du registre demeure: se situe-t-il du côté de la perversion, pour reprendre le mot de Bourcier? Les ouvriers ne correspondent pas à «l'idéal nord-américain du gars belle tête beau corps», et cela semble contribuer à l'authenticité de la scène, authenticité que l'on remarque également dans la maladresse des deux hommes. Or c'est précisément cette authenticité que recherche Andréanne, qui désire consommer des images «d'amour vrai», donc opposées aux images que l'on associe généralement à la pornographie. Toutefois, le traitement de l'homosexualité n'est pas aussi évident. Il est spécifié que, d'ordinaire, Andréanne se «fout» de la sexualité homosexuelle. Or se «foutre» de quelque chose ne revient pas à tolérer, et encore moins à accepter quelque chose: l'homosexualité est implicitement invalidée par la protagoniste. Cette attitude est renforcée par l'instance narrative: «Quelle genre de femme mouillait à regarder des hommes se sucer la graine?» Ce passage peut laisser entendre qu'il y a quelque chose d'anormal chez une femme qui regarde de la pornographie homosexuelle au masculin, la situant implicitement dans le registre de la perversion. L'hétéronormativité ne tarde pas à reprendre sa place dans le récit: «Mais si les deux gars, c'était plutôt une fille et un gars? Ça serait pas mal mieux, non?» (Kaye, 2017: ePub).

Andréanne aura pour premiers locataires un couple de Japonais âgés, mais elle est rébarbative à l'idée d'observer leurs ébats: «Elle avait vu des homosexuels à l'œuvre. Devait-elle maintenant voir des vieux? Non.»

(Kaye, 2017 : ePub) La sexualité des personnes âgées est ainsi explicitement reléguée au registre de la perversion, selon la logique de la pornographie traditionnelle. La race joue aussi un rôle dans la représentation de la sexualité des personnages : le pénis de l'homme est comparé à « une grosse nouille ramen trop cuite » (Kaye, 2017 : ePub), ce qui fait montre d'un humour raciste et rappelle les catégories de la porno (asiatique, black, latino, etc.). Exit les homosexuels et les personnes âgées ; Andréanne s'attachera dès lors à trouver des locataires comparables aux acteurs typiques de la porno, « [d]es performants » et « [du] bien beau monde, lisse et musclé » (Kaye, 2017 : ePub). Mais sous le verni de perfection aseptisée se cachent des personnages à la sexualité « hors-norme » : Clothilde, qui est abstinente en raison d'un viol et Paolo, qui adore donner des cunnilingus parce qu'il n'arrive pas à bander. L'asexualité de Clothilde est perçue comme une « défectuosité » (Kaye, 2017 : ePub) à corriger par Andréanne, et ce, sans égard au traumatisme du viol vécu par le personnage : « Et c'était pour ces petites minutes perdues par la très grande et très répugnante violence d'une charogne que Clothilde allait ruiner sa sexualité ? » (Kaye, 2017 : ePub). En outre, Andréanne fait la rencontre de Nicholas, dépeint comme un « ancien homosexuel » qui a besoin de son *fix* périodique de relations homosexuelles afin de bien revenir au confort de l'hétéronormativité dans les bras d'Andréanne. Les sexualités dites différentes sont résolument classées du côté des perversions. Pourtant, le roman se termine par l'image d'une communauté de marginalisés solidaires habitant le duplex de Pleasant Park ; Nicholas, l'ancien gai, « veille » sur Andréanne, la *porn star*, qui veille sur Clothilde, l'asexuelle, qui veille sur Paolo, l'impuissant. Au bout du compte, la marge, que l'on aurait pu croire criarde et ostentatoire, finit par s'abolir et par disparaître dans la norme. Chez Kaye, l'esthétique de l'exiguïté en mode *trash* se situe résolument du côté de la disparition et de l'assimilation du sujet minoritaire, qui se confond à la société dominante. Même si le roman aborde de front les questions de la diversité et de l'intersectionnalité, il s'agit d'un vernis qui présente des craquelures et ne résiste pas à l'analyse. Il ne fait aucun doute que l'écrivaine s'inscrit dans la relève littéraire franco-ontarienne, de par sa production récente et reconnue par son milieu, mais cela ne veut pas dire que son œuvre fait preuve de nouveauté : *Andréanne Mars* est une occasion ratée de faire rupture et d'introduire une véritable intersectionnalité dans le récit de l'exiguïté franco-ontarien.

Le *trash* comme retour du refoulé chez Catherine Bellemare

L'œuvre de Bellemare est placée sous le signe du *trash* dès l'*incipit*: «L'odeur de vomi avait suffi à la réveiller, elle en était couverte. Émilie ne portait qu'une seule chaussure et son pantalon était entrouvert» (Bellemare, 2017: ePub). L'univers du roman est imprégné par la saleté, la laideur et le sordide, qu'il s'agisse des scènes de bar avec «le plancher [...] collant, souillé par le jus de bière», d'hôpital avec «l'odeur d'urine [qui] piqu[e] les narines» ou encore du monde interlope de la prostitution et du trafic de drogue (Bellemare, 2017: ePub). Dans le roman, le *trash* se présente sous la forme d'un retour du refoulé, illustré par le *leitmotiv* du vomi. Sous la plume de Bellemare, le vomi représente l'intériorité et l'authenticité de la protagoniste qui, minorisée jusqu'au plus profond d'elle-même, porte un masque lisse et propre en société pour correspondre à la norme. Mais sa nature véritable et sa marginalité la rattrapent sous la forme de l'abject, qui rappelle la facticité, et parfois le kitsch, de la norme: «*Where there is dirt there is system*» (Douglas, 2015 [1966]: 44). Cependant, comme nous le verrons, une existence aux marges de la marge contribue elle aussi à la disparition – c'est l'un des pôles de l'esthétique de l'exiguïté – correspondant ainsi à l'une des tendances du *trash*, voué à la désintégration.

Le récit nous présente Émilie au moment où elle termine ses études secondaires et rejette pour la première fois la société normative. Émilie est attendue au bal des finissantes et des finissants, car «[t]el était le plan, tel avait été, depuis toujours, le plan. Et il fallait le suivre» (Bellemare, 2017: ePub). Or Émilie refuse d'adhérer à l'image de la femme kitsch qu'on attend d'elle, celle d'une fille en série (Delvaux, 2018 [2013]); elle rejette les «lèvres luisantes», les «joues brillantes, recouvertes de poudre rose», la belle robe et le sourire blanc (Bellemare, 2017: ePub). Au lieu de se rendre aux célébrations de fin d'études, Émilie se rend dans un bar et fait la rencontre de M, qui l'initiera au monde souterrain de la prostitution et de la drogue. Pour Émilie, tout est préférable à l'existence aseptisée à laquelle elle était confinée jusqu'alors. Elle se prostitue une seule et unique fois et souhaite alors être souillée: «Baise-moi. Empoigne mon corps entre tes doigts. Déchire-le, déchire-moi. Rends-moi sale et inaccessible à quiconque, détruis-moi. Éjacule partout sauf entre mes jambes, les cheveux, mes yeux, le ventre. Urine dans ma bouche et surtout, souille-moi.» (Bellemare, 2017: ePub) La fonction du *trash* est ici destructrice, l'abject sert à annihiler la protagoniste, à la faire disparaître. Toutefois, lors de ce même rapport sexuel avec le client, l'abject (le vomi) permet en quelque sorte à Émilie de se protéger et de rester maîtresse d'elle-même, du moins momentanément: « Pendant une fellation, Émilie avait voulu s'emplir la bouche au point d'en ressentir une aversion, un inconfort lui obstruant la gorge. Elle s'était subitement étouffée, verte de dégoût et avait dû se précipiter jusqu'au lavabo de la cuisine afin de ne pas vomir sur lui. » (Bellemare, 2017: ePub) Cette période de la vie d'Émilie est marquée par son travail de mule dans le trafic de drogue et sa relation explosive avec M, dans laquelle « tout son être ne lui appartenait plus » (Bellemare, 2017: ePub). Émilie semble atteindre le point de non-retour lorsqu'elle craint ne plus pouvoir se réfugier dans le vomi: « D'où la soudaine paranoïa de ne pas pouvoir vomir, expulser le venin. Car en elle et depuis longtemps, il n'y avait plus rien. » (Bellemare, 2017: ePub) Le vomi, qui représente l'intériorité qu'elle tente de dérober au regard d'autrui, est tout ce qui lui reste pour ne pas disparaître, dans la marge de la marge.

Quelques années plus tard, Émilie a réintégré la société dite normale et forme un couple avec Louis. Elle joue le jeu de l'hétéronormativité, même si cela implique sa disparition: « Mais elle tenait à lui, se disait que c'était dans l'ordre des choses et qu'elle parviendrait sans doute à paraître normale si elle prenait ses précautions, à le lui cacher. À se cacher. » (Bellemare, 2017: ePub) Émilie « jou[e] à être normale », aidée par la prise de médicaments, « [s]on cachet journalier, [s]es 200 mg de normalité », dissimulant « [s]a tergiversante bête grimpante » (Bellemare, 2017: ePub). Pour Émilie, vivre selon les diktats de l'hétéronormativité est de l'ordre de la reproduction, de la répétition du même, à l'image du kitsch qu'elle abhorre: elle a l'impression d'appartenir à « la version falsifiée du couple heureux », jusqu'à se sentir « disparaître » (Bellemare, 2017: ePub). Mais c'est surtout sur le plan de la maternité que le bât blesse:

> Louis avait quelques années de plus qu'elle, rêvait de pouvoir s'établir pour de bon: le terrain, les chiens, la maison [...] Un soir, leur préservatif avait percé. Émilie n'utilisait pas d'autres formes de contraception et avait, par conséquent, figé d'horreur en retrouvant l'objet de plastique entre ses mains, fendu et gluant. (Bellemare, 2017: ePub)

Il est intéressant de relever que la source du dégoût et de l'horreur n'est pas le sperme, qui n'est pas perçu comme « *automatically disgusting, harmful or morally offensive* » (Morrison, 2015: 8), mais bien la possibilité d'être enceinte. Le sens attendu de l'horreur est dévié ; ici, ce qui représente une source de bonheur pour plusieurs femmes, que ce bonheur soit authentique ou conditionné par la norme de la reproduction patriarcale, est abject aux yeux d'Émilie. La peur de cette grossesse non désirée représente l'atteinte du point de non-retour, le moment où la protagoniste ne peut plus feindre.

Louis a conscience de la réaction très négative de sa conjointe. N'étant pas au courant qu'Émilie a pris la pilule du lendemain, il lui prépare un festin le lendemain pour remettre le sujet du bébé à l'ordre du jour. Mais le refus du personnage revient sous la forme du vomi : « Émilie picorait tranquillement dans son assiette lorsque les remous intestinaux avaient commencé à se manifester. Main sur la bouche, elle avait ensuite couru à travers la pièce pour aller vomir son festin espagnol sur le plancher des toilettes. » (Bellemare, 2017 : ePub) Le vomi est non seulement une marque du refus, mais également de la part inaliénable de l'identité d'Émilie. Elle se rapproche de cette partie d'elle-même quelque temps plus tard, lors de sa rencontre bouleversante avec Anna, interrompue par sa collègue Gabrielle :

> Gabrielle avait choisi ce moment pour se joindre à elles et les présenter. Pour une raison qui d'ailleurs leur échappait, Anna et Émilie avaient toutes les deux agi comme si elles ne l'avaient pas déjà fait, se resserrant la main une seconde fois. Gabrielle s'était ensuite tournée vers Anna en lui demandant des nouvelles de Chloé. Et ce fut instantané, *brutal*, comme une décharge électrique le long de la colonne vertébrale.
>
> — Ça doit faire un bon moment que vous êtes ensemble, maintenant. Est-ce que…
>
> Émilie n'écoutait plus. (Bellemare, 2017, ePub)

Cette rencontre change complètement la donne pour Émilie. La bisexualité du personnage la rapproche de sa « tergiversante bête grimpante », qui représente la marginalité d'Émilie, dont elle tente d'empêcher l'émergence. Alors que Louis s'absente pour le travail, la tentation est trop forte et prend le dessus :

> Anna s'était approchée de quelques mètres, assez pour que leurs jambes se touchent. Accroupie devant Émilie, elle avait posé les mains sur sa cheville, ensuite le mollet, la cuisse. Anna avait légèrement entrouvert la bouche et lui avait embrassé les jambes sans jamais lever les yeux. De bas en haut, lentement.

*

> Trois jours plus tard, Louis avait trouvé Émilie différente, en marge. Et elle l'était. (Bellemare, 2017 : ePub)

Ici, l'acte sexuel n'est pas montré et ne correspond donc pas à un discours post-pornographique, mais il n'en est pas moins important. L'amour lesbien est l'une des formes que prend la marginalité d'Émilie, qui reprend ses droits sur la reproduction stérile de la norme. Pour une fois, la protagoniste a cessé de feindre, elle a « suivi son instinct » (Bellemare, 2017 : ePub). Les mots employés par l'autrice ne sont pas innocents, Émilie *est* en marge, sa marginalité *apparaît*, du moins, à ce moment dans le récit. Le rapport à la marge d'Émilie se trouve non seulement dans sa santé mentale et sa bisexualité, mais aussi dans sa dyslexie : « Violette répétait souvent, sous le regard ahuri de son père, que les dyslexiques comptaient parmi les rares capables de voir. Qu'ils avaient de la chance, puisqu'eux seuls possédaient le don inné de pouvoir redéfinir la forme des choses » (Bellemare, 2017 : ePub). Selon la logique du récit, la marge est le lieu par lequel les choses peuvent être changées, conformément à la tendance transformatrice du *trash*. Toutefois, l'oscillation entre disparition et apparition, typique de l'esthétique de l'exiguïté, trouve une résolution, et elle ne va pas dans le sens d'une transformation de l'ordre des choses. Après une suite de rendez-vous ratés, Émilie et Anna cessent de se fréquenter. À la fin du roman, Émilie s'est remise avec Louis, et on devine qu'elle est enceinte. Cette grossesse qu'elle n'a jamais souhaitée marque sa disparition dans la norme hétéropatriarcale. Comme chez Kaye, c'est le pôle de la disparition de l'esthétique de l'exiguïté qui prend le dessus. Toutefois, Bellemare se distingue de Kaye par son traitement de la diversité qui aborde une véritable intersectionnalité, même si, en fin de parcours, la norme et l'homogénéité qu'elle sous-tend l'emportent. Même si la portée intersectionnelle de son œuvre s'en trouve limitée, Bellemare incarne néanmoins une face plus novatrice de la relève littéraire franco-ontarienne.

Conclusion

Mon étude d'*Andréanne Mars* de Véronique-Marie Kaye et d'*Une irrésistible envie de fuir* de Catherine Bellemare montre que l'esthétique de l'exiguïté, du moins chez une certaine frange de la relève romanesque franco-ontarienne au féminin, ne se limite plus exclusivement à la question linguistique. La marginalité s'est déplacée et elle est multiple. Les marges abordées dans les œuvres de Kaye (genre et sexualités) et de Bellemare (santé mentale, capacitisme et orientation sexuelle) connaissent un traitement similaire à celui de la minorité francophone, puisqu'elles existent, elles aussi, dans un clignotement entre apparition et disparition. Dans les deux romans à l'étude, la marge finit par s'abolir dans la norme ; cette tentation du conservatisme est aussi celle des minorités linguistiques, car différentes communautés minoritaires partagent ce mouvement entre conservation et innovation.

En fin de parcours, il importe aussi de revenir sur le traitement de la marge chez Kaye. Le ton ironique ne suffit pas à détourner la représentation problématique des marginalités ; même sous le couvert de l'humour, une blague raciste demeure raciste, une blague homophobe demeure homophobe. Même si la fin du roman évoque une communauté bienveillante d'êtres marginalisés, la lectrice ou le lecteur n'est pas dupe : la marge est une grossière caricature d'elle-même. Le *trash*, à l'œuvre dans le discours pornographique de Kaye, correspond à ce que Kenneth Harrow nomme le « *old-school trash* » (2013 : ePub), qui est extravagant, caricatural et qui ne remet pas en question l'ordre dominant. Le traitement de la marge dans l'œuvre de Bellemare est plus éthique en ce qu'il évite habilement la caricature, le dénigrement et l'idéalisation. Sans verser dans une analyse biographique du roman, l'aspect autobiographique du récit y est sans doute pour quelque chose, puisque les différentes identités minoritaires de Bellemare sont disséminées dans les personnages d'Émilie et d'Anna. Le *trash*, sous la forme de l'abject (le vomi), représente une forme d'existence, encore inarticulée, plus marginale et plus vraie, qui vient troubler la surface lisse des choses. Mais cette tentative d'apparition est insuffisante, car en bout de route, c'est la norme qui triomphe et remet la marge à sa place, dans le hors-champ. La marginalité n'existe plus que dans l'intériorité, dans l'intimité profonde d'Émilie, ce qui fait écho à la place encore trop souvent réservée à l'écriture des femmes. Il demeure que les œuvres de Kaye et de Bellemare font partie d'une frange de la relève romanesque franco-ontarienne qui emploie une esthétique *trash* et renouvelle l'esthétique de l'exiguïté en faisant éclater le sujet minoritaire, qui n'est plus le seul fait de la minorisation linguistique ; ce n'est quand même pas rien, et c'est très prometteur pour l'avenir.

Bibliographie

Aïm, Olivier (2013). « De la pornophonie à la pornographie », *Proteus*, « Pornographies : entre l'animal et la machine », p. 40, [En ligne], [http://www.revue-proteus.com/articles/Proteus05-2.pdf] (2 février 2021).

Bellemare, Catherine, (2017). *Une irrésistible envie de fuir*, Ottawa, Éditions David, coll. « Indociles ».

Bellemare, Catherine (2018). *Le tiers exclu*, Ottawa, Éditions David, coll. « Indociles ».

Boehringer, Monika (2012). « Introduction », dans France Daigle, *Sans jamais parler du vent : roman de crainte et d'espoir que la mort arrive à temps*, édition critique de Monika Boehringer, Moncton, Institut d'études acadiennes, Université de Moncton, coll. « Bibliothèque acadienne ».

Bourcier, Sam (2001). *Queer Zones : politique des identités sexuelles, des représentations et des savoirs*, Paris, Balland.

Bourcier, Sam (2010) « Red Light district et porno durable ! Le rouge et le vert du féminisme pro-sexe : un autre porno est possible », *Multitudes*, n° 42, p. 82-93.

Calinescu, Matei (1987). *Five Faces of Modernity: Modernism, Avant-garde, Decadence, Kitsch, Postmodernism*, Durham, Duke University Press.

Carrière, Marie (2016). « Le scandale de l'intimité : la poésie au féminin au Canada français », dans Lucie Hotte et François Paré (dir.), *Les littératures franco-canadiennes à l'épreuve du temps*, Ottawa, Les Presses de l'Université d'Ottawa, p. 215-223, coll. « Archives des lettres canadiennes ».

Charpentier, Marie (2017). « Kaye, Véronique-Marie. *Andréanne Mars*, Sudbury, Prise de parole, 2017, 217 p. », *Voix plurielles*, n° 14.2, p. 189.

Dalpé, Jean Marc (1983). *Gens d'ici*, Sudbury, Éditions Prise de parole.

Dalpé, Jean Marc, et Brigitte Haentjens (1984). *1932, la ville du nickel : une histoire d'amour sur fond de mine*, Sudbury, Éditions Prise de parole.

Delvaux, Martine (2018 [2013]). *Les filles en série : des Barbies aux Pussy Riot*, Montréal, Les éditions du remue-ménage.

Douglas, Mary (2015 [1966]). *Purity and Danger: An Analysis of Concepts of Pollution and Taboo*, New York, Routledge.

Doyon-Gosselin, Benoit, et Maria Cristina Greco. (2018). « Le mal de mère : solidarités féminines dans l'œuvre de Marguerite Andersen et Hélène Harbec », *Tangence*, n° 117, p. 101-120.

Falardeau, Éric (2019). *Le corps souillé : gore, pornographie et fluides corporels*, Longueuil, Éditions de L'instant même.

Frigerio, Vittorio (2017). « Kaye, Véronique-Marie. *Andréanne Mars,* Sudbury, Prise de parole, 2017, 216 p. », *Dalhousie French Studies*, n° 111, p. 128-129.

Harrow, Kenneth (2013). *Trash : African Cinema From Below*, Bloomington, Indiana University Press.

Hotte, Lucie (2016). « Au-delà de l'exiguïté : les œuvres de France Daigle, d'Andrée Christensen et de Simone Chaput », dans Jimmy Thibeault *et al.* (dir.), *Au-delà de l'exiguïté : échos et convergences dans les littératures minoritaires*, Moncton, Éditions Perce-Neige, p. 31-51, coll. « Essais ».

Hotte, Lucie, et François Ouellet (dir.) (2016). *La littérature franco-ontarienne depuis 1996*, Sudbury, Éditions Prise de parole, coll. « Agora ».

Kaye, Véronique-Marie (2017). *Andréanne Mars*, Sudbury, Éditions Prise de parole.

Kirouac Massicotte, Isabelle, et Pénélope Cormier (2019). « Portraits et enjeux de la relève dans les littératures francophones du Canada », *@nalyses*, vol. 14, n° 1.

Kristeva, Julia (1980). *Pouvoirs de l'horreur : essai sur l'abjection*, Paris, Seuil.

« Les Éditions David inaugurent leur nouvelle collection, Indociles… » (2011). Sur le blogue des Éditions David, 5 mai, [En ligne], [http://editionsdavid.com/2011/05/les-editions-david-inaugurent-leur-nouvelle-collection-indociles/] (2 février 2021).

Maingueneau, Dominique (2007). *La littérature pornographique*, Paris, Armand Colin.

Morrison, Susan Signe (2015). *The Literature of Waste*, New York, Palgrave Macmillan.

Mulvey, Laura (1999) « Visual Pleasure and Narrative Cinema », dans Leo Braudy et Marshall Cohen (dir.), *Film Theory and Criticism : Introductory Readings*, New York, Oxford University Press, p. 833-844.

Ouellet, François (1995-1996). « Daniel Poliquin : l'invention de soi », *Nuit blanche*, n° 62 (hiver), p. 139-143.

Paré, François (1992). *Les littératures de l'exiguïté*, Hearst, Le Nordir.

Paré, François (1994). *Théories de la fragilité*, Ottawa, Le Nordir.

Paveau, Marie-Anne (2014). *Le discours pornographique*, Paris, La Musardine.

Poliquin, Daniel (2003 [1982]). *Temps pascal*, Sudbury, Éditions Prise de parole.

Sarratia, Géraldine (2010). « Paris fait son festival porno », *Les Inrockuptibles*, 18 juin, [En ligne], [https://www.lesinrocks.com/2010/06/18/cinema/cinema/paris-fait-son-festival-porno/] (2 février 2021).

Voyer-Léger, Catherine (2017). « Véronique-Marie Kaye. *Andréanne Mars,* Prise de parole, Sudbury, 216 p. ; 22,95 $ », *Nuit blanche*, n° 147 (été), p. 41.

De la refondation du legs colonial à une topographie littéraire aux Antilles et au Maghreb dans les œuvres de Glissant, de Chamoiseau et de Khatibi

Dorsaf Keraani
Université de Carthage, Tunisie

Dans les récents écrits francophones postcoloniaux, tous genres confondus, le lectorat y constate une tendance à sortir des cloisonnements locaux propres à chaque pays, particulièrement de ce que les anthropologues et les sociologues appellent les marqueurs de l'identité, en l'occurrence, l'espace territorial, la langue, la confession et la race, en faveur de ce que le sociologue allemand Max Weber nommait « le polythéisme des valeurs[1] » (Freund, 1986 : 55). Ces repères constituent à la fois un réel et symbolique substrat que donnent à lire trois écrivains : les deux Antillais, Édouard Glissant et Patrick Chamoiseau, et le Maghrébin Abdelkébir Khatibi. Dans l'ensemble de leurs œuvres littéraires, cette question scripturaire se pose en termes « transatlantique[s] » (Glissant, 1997b : 277) liant l'Europe, la Caraïbe et l'Afrique.

Le lien entre ces espaces implique la référence à des aires géographiques et à des pans historiques différents, permettant d'approcher des textes francophones d'horizons afro-américain et maghrébin, ayant en commun l'articulation du réel et du fictionnel, du particulier et de l'universel, du collectif et du subjectif, du renouveau scriptural et de l'héritage littéraire quand il est surtout repensé et relu selon de nouvelles grilles d'analyse. Au sujet du rapport de ce legs littéraire avec les œuvres de fiction postcoloniales, le critique Dominique Maingueneau se demande « si [ce rapport] est interrogé, [ou] fonctionn[e] comme un cadre silencieux » (2004 : 96) pour vérifier sa fiabilité et préserver ce qui est inhérent culturellement aux référents du texte antillais et maghrébin, parce que chaque littérature a son fondement anthropologique et son contexte

1. Ici, l'expression wébérienne « polythéisme des valeurs » est à entendre au sens de la reconnaissance de la diversité identitaire d'autrui (et de ses spécificités linguistiques, doxologiques et rituelles) par opposition au refus, voire à la négation de la pluralité et du droit à la différence.

Francophonies d'Amérique, n° 51 (printemps 2021), p. 59-85.

spatiotemporel qui lui confèrent une plus-value spécifique. Les œuvres de Glissant et de Chamoiseau, issues des départements d'outre-mer français, et celles, maghrébines, de Khatibi maintiennent avec le centre, l'Hexagone, et les pays dits de la périphérie un lien considérable tout en s'inscrivant dans le *topos* littéraire postcolonial. Les notions de périphéricité, de marginalité et d'alentours, selon Glissant dans ses romans et ses ouvrages critiques, constituent des lieux communs du discours littéraire antillais et, par extension, francophone.

À y regarder de près, les littératures des marges abordent actuellement des sujets considérés auparavant comme marginaux ou bien laissés de côté au profit d'autres thèmes tels que les combats des indépendances et les spécificités autochtones, etc. En d'autres termes, la marginalité renvoie aussi bien aux espaces dits marginaux qu'aux questions perçues comme étant marginales parce qu'elles ont une dimension microlocale, quoiqu'elles soient importantes à traiter. L'ensemble de ces questions, une fois extraites des textes littéraires, sont prises en charge par les études postcoloniales et analysées sous des angles pluridisciplinaires. Force est de constater que la littérature des périphéries est en rapport avec le « centre », qui est, entre autres, le lieu de la langue de l'écriture (le français), de la réception littéraire et des consécrations. Il importe d'avancer quelques remarques préliminaires concernant la relation littéraire entre le centre et la périphérie dans les études postcoloniales, appelées au tout début de leur émergence les *postcolonial studies* parce qu'elles ont vu le jour d'abord dans les pays anglophones, les anciennes colonies britanniques. En France, dans les années 1990, les études francophones commencent à paraître, notamment dans les travaux universitaires à portée analytique.

Encore faut-il rappeler que, dans le domaine des études postcoloniales, nombre de théoriciens et de penseurs tels que Edward Saïd, Frantz Fanon, Guya Spivak et Homi Bhabha ont analysé les diverses conditions de l'émergence et de la profusion des corpus littéraires postcoloniaux. Jusqu'à présent, les études francophones postcoloniales n'ont pas encore entièrement acquis leurs lettres de noblesse même si, en grande partie, elles reconduisent des thématiques communes à l'intérieur de l'espace littéraire francophone puisqu'elles se situent toutes dans la postcolonialité, la période de l'après-indépendance. Néanmoins, elles ne sont pas similaires, car diachroniquement elles ont des histoires communautaires différentes. D'autant plus que la différence de leur ancrage géographique pose d'emblée la question du rapport au lieu puisque chaque écrivain francophone écrit depuis un lieu bien précis, constitutif de sa mémoire, soit-elle individuelle ou collective. C'est pourquoi les études littéraires postcoloniales veulent établir un cadre épistémologique afin d'analyser le rapport complexe et parfois tendu entre langue, hégémonie et territoire. La production littéraire des deux dernières décennies a montré que les écrivains francophones ne peuvent faire fi des particularités de leurs espaces. Bien plus, ils intègrent différemment ce particularisme dans leur écriture. Toujours est-il que plusieurs d'entre eux, aussi conscients qu'ils soient ou non des implications linguistiques et culturelles de leurs œuvres sur le *topos* littéraire francophone, optent pour une écriture non normée afin de récuser l'uniformisation littéraire et authentifier leurs écrits.

Dans quelle mesure l'affiliation littéraire de Khatibi, de Glissant et de Chamoiseau, dont ils se réclament, détermine, voire modifie les canons esthétiques de la littérature de langue française? Il n'en demeure pas moins évident que, pour pouvoir parler de legs comme en témoigne l'œuvre des trois écrivains, il faudrait qu'il y ait deux conditions: *a priori*, le legs se définit comme un héritage qui se transmet d'une génération à une autre, il est donc inhérent à une communauté donnée. Ainsi, il acquiert une légitimité qui lui garantit son authenticité et sa pérennité. De plus, ce legs devrait être issu de son propre territoire et de son propre contexte historique, sinon il n'a aucune valeur aux yeux de ses dépositaires. D'où parfois la réfutation de tout ce qui est étranger, voire intrus à soi, qu'il soit d'ordre linguistique, culturel ou autre. En nous référant à *Écrire en pays dominé* de Patrick Chamoiseau, à *La Lézarde* et au *quatrième siècle* de l'écrivain martiniquais Édouard Glissant et à *Amour bilingue* de Abdelkébir Khatibi, nous nous proposons d'examiner ces deux aspects du legs littéraire. Il convient, d'emblée, de souligner que la multitude et l'hybridité générique des œuvres choisies permettent, dans un premier temps, de traiter dans une large mesure des spécificités heuristiques des œuvres littéraires postcoloniales (par rapport aux œuvres françaises) ainsi que des thèmes les plus saillants à l'intérieur de la topographie littéraire des Antilles et du Maghreb, et ce, en rapport avec la terminologie du centre et de la périphérie. Dans un second temps, nous nous pencherons sur les paradigmes socioéconomiques et culturels qui régissent, voire conditionnent la production littéraire caribéenne et maghrébine, en l'occurrence, la superstructure et l'infrastructure (Glissant, 1981: 205).

Topographie littéraire aux Antilles et au Maghreb

Avant d'analyser les caractéristiques de la « topoïétique » antillaise et maghrébine, qui, selon Michel Guérin (2008 : 89), désigne la création d'un lieu où se tient tout travail créateur, un bref aperçu de l'histoire littéraire de la théorie postcoloniale, parue dans les années 1980 dans l'espace anglo-saxon et propulsée par les penseurs cités dans l'introduction, apparaît ici nécessaire. En comparaison avec les *postcolonial studies*, les études postcoloniales francophones, depuis leur émergence dans l'ouvrage *Littératures francophones et théorie postcoloniale* (Moura : 1999), n'ont pas cessé d'élargir le débat et de prouver qu'il n'y a pas une, mais des expériences postcoloniales, dont la typologie s'est établie selon des paradigmes d'études consacrées. L'analyse du développement de ce courant littéraire outre-Atlantique ainsi que de son apparition dans l'Hexagone a montré qu'il y a maints points de divergence, compte tenu des spécificités de chaque *topos* littéraire et des contextes géopolitiques.

Afin que les études postcoloniales soient reconnues scientifiquement, il a d'abord fallu établir un appareil conceptuel pour leur assurer autonomie et légitimité. On a donc emprunté une démarche scientifique que ponctuent des jalons théoriques et méthodologiques subsumés par des approches pluri et transdisciplinaires. On a ensuite procédé à un découpage des corpus littéraires francophones, car la littérature francophone n'est pas non plus homogène et, enfin, on a mis en perspective ces études, qui ont suscité tout de même des critiques. Quoiqu'elles soient en constante évolution thématique, les études littéraires postcoloniales n'exemptent pas de poser la question du rapport à l'histoire parce que, comme leur nom l'indique, elles proposent de réfléchir au lien qui existe entre deux situations, celles du colonialisme et de l'après-colonialisme. Et par conséquent, elles abordent leur relation à la tradition littéraire et culturelle occidentale et, plus précisément, européenne. Ici, il est important de distinguer « post-colonial » et « postcolonial », deux orthographes généralement confondues. Le premier terme, précédé du préfixe « post- » suivi du trait d'union, fait référence à l'époque postérieure à la période coloniale, tandis que le second, « postcolonial », désigne un passage vers des pratiques heuristiques dues aux mutations ouvrant l'espace littéraire à un après, toujours à formuler où s'opère la textualisation de l'hétérogène. Quoi qu'il en soit, l'adjectif substantivé « postcolonial » tel qu'il est conçu se réclame des travaux de Jacques Derrida et des postmodernistes. Il met en œuvre des dispositifs d'hybridité métissante, de dualisation et de créolisation [2]par le recours, essentiellement, à l'hétéroglossie et à la subversion des formes narratives afin de soulever des questions identitaire, linguistique, culturelle et sociohistorique.

Le rôle de la « perspective interpériphérique » dans le façonnement littéraire de l'œuvre postcoloniale

Bien qu'*Écrire en pays dominé* de Patrick Chamoiseau, *La Lézarde* et *Le quatrième siècle* de l'écrivain martiniquais Édouard Glissant et *Amour bilingue* d'Abdelkébir Khatibi appartiennent à des genres littéraires différents, en l'occurrence le roman, l'essai et le récit romancé, ces œuvres se font écho par les renvois intertextuels qui les traversent de bout en bout. De même, la diversité générique de ces œuvres n'est pas non plus gratuite dans la mesure où elle témoigne de la volonté de ces écrivains d'expérimenter tous les genres littéraires pour transmettre à travers leurs textes une transgénéricité à l'image de leur vocation de transmetteurs d'une parole littéraire autre, représentative de la dimension hétérotopique et hétérolinguistique de leur discours littéraire. La plurigénéricité de ces textes rime bien avec ce que Maingueneau appelle la « narration plurifocale », qui consiste en la multiplication des instances énonciatives pour déjouer la narration focale, celle à sens unique, pour que chaque personnage présente sa version des faits vécus et puisse sortir du carcan du mutisme et du mimétisme quoique cette polyphonie morcelle le récit et la parole qui la sous-tendent. Plus encore, cette énonciation polyphonique se dédouble en raison de la métatextualité à laquelle se livrent volontiers nombre d'écrivains francophones. Cette métatextualité prend pour objet de réflexion leur langue d'écriture et leur démarche scripturaire révélant une parole introspective. Cette introspection métatextuelle est importante parce qu'elle montre non seulement leurs choix esthétiques, mais indiquent aussi leurs partis pris en faveur de certains sujets, notamment

2. Il importe de préciser la définition que donne Glissant au concept de « créolisation » comme vecteur imprévisible de brassage des langues et des cultures : « [L]a créolisation est la mise en contact de plusieurs cultures ou au moins de plusieurs éléments de cultures distinctes, dans un endroit du monde, avec pour résultante une donnée nouvelle, totalement imprévisible par rapport à la somme ou à la simple synthèse de ces éléments » (1997 : 37).

l'identité, la relation avec l'ancienne puissance coloniale, le tiraillement entre le legs colonial et le legs ancestral, vacillant à son tour entre (ré)/conciliation et rejet. S'y perçoit également les créations lexicales à même d'exprimer ce qui correspond à la réalité locale de ces auteurs, et qui vont de pair avec la portée métadiscursive de leurs écrits faisant la part belle à l'intertextualité. En effet, Chamoiseau avoue l'ascendant de Glissant sur son œuvre et le considère comme son prédécesseur tout en citant et en explicitant les titres de ses romans en ces termes:

> C'est Glissant qui allait m'ouvrir la barrière de corail. J'avais lu *Malmort* une première fois. Glissant avait publié ce roman aux Éditions du Seuil, en 1975. J'avais aussi lu ses précédents romans, *La Lézarde* et *Le Quatrième siècle. La Lézarde* était un minerai compact, un poème-terre-paysage qui m'avait opposé les mystères de sa beauté. J'avais été ému par *Le Quatrième siècle* (...). *Malmort*, par contre, m'avait dérouté, et même débouté. (1997: 87)

Chamoiseau évoque aussi Khatibi: «De Abdelkébir Khatibi: Contre l'"identité et la différence folles", méfie-toi des ivresses dans ta propre parole et de l'effacement lent dans la parole des autres – va bi-langue, ta vie en constante traduction [...]» (1997: 330).

Le lectorat y trouve des références et des citations de plusieurs écrivains classiques et modernes envers lesquels Chamoiseau se sent redevable parce qu'ils ont nourri son imaginaire et son écriture. Il partage non seulement avec eux une affinité littéraire, mais également un engagement intellectuel légué à travers une lignée transgénérationnelle d'écrivains de tous bords, contribuant, chacun à sa manière, à constituer et à «relayer» (Glissant, 1990: 187) ce que Chamoiseau nomme «la sentimenthèque» (1997: 25), sorte de fonds patrimonial des diverses voix/es singulières en littérature. Outre les Caribéens et les Békés, notamment Saint-John Perse, les écrivains de la Négritude comme Aimé Césaire et Léopold Sédar Senghor, il y a l'évocation des écrivains maghrébins comme Kateb Yacine et ceux de l'Amérique du Nord, de l'Amérique latine, de l'Europe, de l'Afrique et de l'Asie, qui tous, se croisent en un dialogue littéraire sur soi et l'Autre, supposant la connaissance de la littérature du centre et celle des périphéries. Dans *Écrire en pays dominé*, récit-témoignage entre l'autobiographie et l'essai, Chamoiseau se fait le chantre de la mise en contact «rhizomatique»[3], pour reprendre ainsi un terme récurrent chez

3. Il importe de préciser qu'à la suite de Deleuze, Glissant a développé le terme «rhizomatique».

Glissant, des différentes littératures du monde puisqu'il fait référence aussi à des écrivains lusophones, anglophones et hispanophones ainsi qu'à des écrivains orientaux, léguant tous leurs apports au patrimoine littéraire mondial.

Selon la théorie des champs du sociologue Pierre Bourdieu, en raison de son statut culturel, l'écrivain est prédisposé à adopter des partis pris qui lui permettent de sortir des sentiers déjà tracés et de ne pas demeurer prisonnier de l'héritage de ses prédécesseurs. Il est en mesure en tant qu'écrivain confirmé d'être connu à l'échelle mondiale, de se forger des modalités de canonisation littéraire en l'absence d'un champ littéraire autonome à proprement parler dans les périphéries, car majoritairement les œuvres canonisées sont « plus topiques que paratopiques », selon Maingueneau (2004 : 96). Nombre d'œuvres francophones postcoloniales font « du colonialisme le marqueur déterminant de l'histoire », selon Moura (1999 : 4). Or l'histoire des périphéries est à appréhender à la fois dans sa continuité et dans ses modifications, en l'occurrence, d'après ses trois phases : pré-coloniale, coloniale et post-coloniale. D'où la mise en intrigue de l'histoire et de la fiction dans *Amour bilingue* et *Le quatrième siècle* dont la construction narrative se refuse à la chronologie et à la structure diégétique linéaire. Et où aussi l'H/histoire est hybride parce qu'elle provient de maintes sources et instances mémorielles, débouchant en quelque sorte sur un « documentaire fictionnel ». Ainsi, le roman et l'essai deviennent-ils des lieux où se conjuguent diverses modalités narratives et stratégies discursives par lesquelles la temporalité et les voix se chevauchent, en réaction au culturocentrisme, qui se déjoue pour « décoloniser » les imaginaires et saisir les frictions historiques et identitaires. L'écriture devient ainsi un acte autoconstructif pour l'écrivain francophone qui cherche à mieux analyser sa situation à mi-chemin entre le centre et la périphérie tout en investissant le legs colonial et sa propre culture autochtone dans des récits autobiographiques et autofictionnels. En ce sens, Chamoiseau décrit, à la première personne du singulier, les maux d'une blessure qui le ronge, mais qui se révèle une force motrice de son écriture : « L'écriture avait surgi au fond d'une blessure que j'ignorais encore » (1997 : 56).

Source d'une identité littéraire, la classification des œuvres littéraires en fonction de leur lieu d'écriture semble tergiverser entre la désuétude et le renouveau, renvoyant à la fois à la question topique, aux normes heuristiques léguées et à l'*ethos* auctorial, relatifs à chaque écrivain. À ce titre, le projet scriptural de Glissant, de Chamoiseau et de Khatibi se veut, entre autres, une destitution de cette hiérarchisation de la littérature, qu'elle soit « dominante » ou « dominée » ou encore « majeure » ou « mineure », et ce, en faveur de ce que Glissant appelle « la poétique de la Relation » (1990) entre l'hexagonal et le périphérique, transformant toute force déracinante en une dynamique relationnelle, en une « racine étalée ». Cette expansion qu'entendait Glissant se heurtait à énormément d'entraves pour des raisons objectives et réelles touchant essentiellement au « sous-développement [...] dû principalement à des caractéristiques internes aux pays pauvres » (Moura, 1992 : 80), puisque « l'événement historique de la décolonisation » (*ibid.* : 35) ne saurait à lui seul être l'unique facteur du développement et du progrès des sociétés postcoloniales.

La mise en place d'un ensemble de structures édificatrices d'un socle culturoéducatif et socioéconomique à même de dépasser le seuil de l'indigence et du retard est l'un des principaux paliers vers cette passerelle étalée que vise Glissant. Ainsi, Glissant et Chamoiseau « créolisent » la littérature et Khatibi la « maghrébanise » tout en situant leurs textes dans leurs propres territoires et en les innervant d'interférences plurielles. Une telle parole plurielle revendiquée par Chamoiseau l'amène à confirmer qu'« il [lui] fallait tenter l'essaim contre les réductions, l'inspiration à pleine poitrine contre le rentré des postures caves, le multipliant contre les amputations, les quatre-chemins ventés contre les clos-raidis. Il fallait [se] soustraire à l'Unicité par la liesse du Divers où toutes les langues [lui] sont offertes » (1997 : 283).

Par-delà une vision étriquée, voire déterministe d'une topographie littéraire régie par le duo dominant-dominé, les trois écrivains développent une conception du lectorat et de la littérature fondée sur un rapport interculturel. On pourrait dès lors s'interroger sur les motifs et la méthode de ces trois écrivains, qui semblent devoir beaucoup à la géographie et à l'histoire de leurs pays dans la restauration de cette nouvelle littérature de « l'entre-deux ». Ce qui meut ce territoire littéraire dichotomique est la volonté de dépasser les fractures communautaires, fragilisées toutes par la contingence stérilisante des *a priori* et de la monoculture, auxquelles sont subordonnés les protagonistes de Glissant, de Chamoiseau et de Khatibi. C'est en ce sens que Thaël, le héros de *La Lézarde*, mène en compagnie de ses amis un combat ardu contre la confiscation des terres de leur ville natale, appelée Lambrianne. Il a fait échouer cette manœuvre parce qu'il est convaincu qu'« une histoire vaut par ce qu'elle apprend, et par ce qu'elle fait connaître, les pays, les autres choses différemment arrangées, et puis la couleur de la terre natale [...] et [que] tout homme est créé pour dire la vérité de sa terre, et il en est pour la dire avec des mots » (1997a : 108-109). Cette entreprise de brisure n'a pas abouti parce que Lambrianne est d'ores et déjà unifiée et soudée par un ensemble d'éléments fédérateurs. Non moins doté de cet élan rebelle, le personnage principal du récit *Amour bilingue* est décrit en quête constante de ses repères identitaires pour dépasser ses blessures causées jadis par la colonisation et, plus tard, par la société qui lui a imposé ses normes contraignantes. Son aspiration à l'émancipation fait de lui un auteur-narrateur errant d'une terre à une autre et d'un idiome à un autre ; mieux encore, il s'érige en un passeur de mots entre le centre et la périphérie, ce que Chamoiseau définit comme le « Marqueur de paroles » (1997 : 283) et que Glissant présente comme un traceur de pistes de pensée.

Quel que soit l'apport de l'héritage culturel occidental sur les littératures francophones et, plus précisément, les littératures antillaise et maghrébine, celles-ci sont imprégnées d'un imaginaire à caractère local, englobant le particulier dans le général et vice versa. Toutefois, les spécificités ethniques et linguistiques d'une communauté donnée ne sont pas exemptes d'un changement, voire d'un décentrement au cours de leur histoire. Dans ce sens, le legs d'une communauté, fût-ce autour de plusieurs dénominateurs communs, en particulier la langue et les valeurs axiologiques communes, s'insinue dans la prolifération de la diversité culturelle par le « ferment d'ailleurs » (Glissant, 1997b : 168), appelé aussi dans *La Lézarde* « le ferment universel » (1997a : 55). Cette opération ne peut pas se passer de deux instances qui ont marqué les espaces sociolinguistiques antillais et maghrébin : la topique de la naissance et celle de l'exode ou encore de la diaspora. Entre ces deux instances, tout un réseau thématique de contrastes se tisse, notamment l'oubli et la mémoire, l'enracinement et le désancrage encodant les œuvres de Chamoiseau, de Glissant et de Khatibi autant stylistiquement qu'idéellement.

La constellation d'images qui structure les œuvres des trois écrivains se déploie sur une double valence, à savoir l'endogène et son opposé, l'exogène. Le premier axe contient tout ce qui est relatif à « l'univers de croyances » de l'homme depuis sa naissance jusqu'à sa mort, alors que le second est celui de la force de la négation, de la mise à distance, voire de la mise en question de son héritage socioculturel, y compris celui de la colonisation. Dans ce sens, l'écriture de Glissant, de Khatibi et de Chamoiseau est à la lisière de ces deux axes, avec pour différence la reterritorialisation des Afro-Antillais sur les terres archipéliques caribéennes après leur diaspora. Il n'en reste pas moins que la déterritorialisation a nécessité la récupération des éléments fondateurs de leurs origines afin d'établir des ponts entre la terre ancestrale et la terre nouvelle. Ce retour aux sources incombe aux écrivains et aux artistes des Caraïbes qui ont donné à voir dans leurs œuvres de création la restitution de leurs legs ancestraux afin de les sauver des aléas de l'oubli et de la perte. Quant aux Maghrébins, il n'est pas non plus question de flux diasporiques à la suite d'une déterritorialisation, mais plutôt d'immigration vers le centre.

Dans tous les cas, les départs et les arrivées ne sont pas pareils, mais générateurs d'une nouvelle origine vécue et appréhendée différemment et dont rendent compte surtout les thèmes de l'intégration, de l'identité double et de l'écueil de l'aliénation. Car la véritable gageure des membres de la diaspora et des immigrés consiste à passer d'une aire connue à une autre inconnue sans se heurter aux palissades de l'exclusion et du reniement de soi. Sans exclure l'hypothèse d'un hiatus à combler à cause du manque produit par une origine fracturée, particulièrement pour les Antillais, Glissant et Chamoiseau appellent à outrepasser la diffraction pour passer librement de l'exogène à l'endogène et légitimer la présence allogène sur une nouvelle terre. C'est pourquoi dans *Le quatrième siècle*, l'un des personnages auquel Glissant assigne le rôle du conteur, papa Longoué, demande aux générations à venir de « saluer la terre nouvelle et [de] glorifier l'ancienne, la perdue » (1997b : 38).

Il est à noter que le sens du duo endogène-exogène dans les écrits des trois auteurs a partie liée avec les mots « dé-sémantisation », « dé-composition » et « dé-liaison », composés lexicalement du préfixe à connotation privative, voire négative « dé » et des substantifs « sémantisation, composition et liaison », entérinant tous que la signification des lexèmes qui charrient la mouvance identitaire n'est pas figée ou du moins fixe à jamais, que les signifiés sont mobiles à l'image de la mobilité et de la dynamique migratoire et diasporique. Mais en raison du travail de sape entrepris par le changement de vision univoque en vision plurivoque, le lecteur, qu'il soit antillais ou maghrébin, se « dé-lie » des idées reçues et de la doxa. Et ce, non pas, bien entendu, pour « dénaturer » (Glissant, 1997b : 260) son versant endogène ou « dé-générer » (1997b : 242) ses référents culturels, mais pour faire comprendre aux membres de la diaspora que leur « pays : réalité arrachée du passé, mais aussi, passé déterré du réel » (1997b : 322) est lié à l'acte de « recommencer : la quête, le choix, la maison à bâtir, la vie à ordonner » (1997b : 327). Dans les romans glissantiens, les personnages sont constamment en butte au passé enfoui renvoyant au premier déporté afro-caribéen comme le signale Mycéa, l'un des personnages féminins dans *La Lézarde* : « [...] les Africains nos pères » (1997a : 235), dit-elle.

Revisiter les deux pôles (endogène et exogène) ne signifie pas sombrer dans la « dé-liaison » (Khatibi, 1983 : 42) ou bien opter pour le déni de son legs et de sa topique originelle, mais plutôt destituer le tautologique et les sens clichés afin de s'éloigner du galvaudé et du répétitif. À ce propos, Durand pense que « [l]a notion de "topique" [...], dans un lieu ponctuel, constate une "épaisseur", un "système" de tensions ou d'antagonismes. Même en coupe mince, le capital d'imaginaire d'un instantané socioculturel apparaît comme complexe, pluriel et systémique » (1996 : 157).

Vers une topique transculturelle

Les trois écrivains dans leurs œuvres susmentionnées ne dissimulent pas leur dessein de transcender les contours de l'espace interculturel pour accéder à un espace plus vaste, celui du « *trans*littéraire » où la transmission est de mise. Là encore, un autre préfixe s'impose *de facto* parce qu'il favorise la jonction, voire la ligature lexicale, le legs étant l'un des dérivés lexicaux du terme « ligature/lien », entre les divers espaces littéraires pour que ce legs littéraire soit transmissible. Y abondent alors, chez les écrivains des périphéries, des vocables qui se rapportent à cette entreprise de transmission tels que *trans*fert et *trans*culturel. C'est justement vers « la multi-trans-culturalité, le multi-trans-linguisme » (Chamoiseau, 1997 : 293) que cherche à nous transporter l'écriture des auteurs francophones conscients d'excéder une sorte de sclérose langagière en s'appropriant la langue de l'Autre. Cette appropriation n'est pas sans altération linguistique. Effectivement, l'usage que réservent les auteurs d'expression française à la langue réside actuellement au cœur des débats sur les jeux multiples entre mono, bi et plurilangue. La langue française mâtinée de créole, d'arabe et de berbère dans les œuvres littéraires francophones des périphéries antillaise et maghrébine s'ouvre au translinguisme qui la fait sortir de l'orbite du binarisme : langue immaculée et langue impure, langue française et langue régionale, langue-entité et langue émiettée ou encore fissurée. Les écrits littéraires et critiques de Khatibi illustrent bien cette dualité langagière puisque ses personnages sont pris dans les rets de deux langues qui ne les ont pas laissés indemnes. Le concept de « la bi-langue » (Khatibi, 1983 : 75) émousse leurs tiraillements entre la langue de leur terreau originel et la langue du colonisateur en une sorte de zone langagière intervallaire. Cette appropriation langagière leur a ouvert la voie de l'inter- et du transculturel parce qu'à travers ces deux langues les œuvres khatibiennes ont voyagé au-delà des frontières arabes et francophones, en Suède (*Un été à Stokholm*), au Japon (*Ombres japonaises*) et un peu partout dans le monde. C'est ce qu'illustre son expression « l'étranger professionnel » qu'il assume pleinement puisqu'il l'a mise réellement en pratique en sillonnant le monde. Dès lors, écriture et pratique de l'extranéïté propulsent davantage son appel au décloisonnement des divers imaginaires : « [L']écriture ne me préoccupe maintenant que comme un exercice d'altérité cosmopolite, capable de parcourir les différences » (1987 : 211), précise-t-il.

Au regard de ce qui a précédé, on constate que la confluence linguistique en littérature francophone revêt plusieurs formes et appellations : une mise en incorporation, une langue en incorpore une autre ; une intégration d'expressions et de mots étrangers au texte français vu leur substance phonique et sémantique enrichissante ; la coprésence de deux langues dont l'une habite l'autre en filigrane et une alternance codique dont l'auteur ne peut pas se passer dans son récit. Ce qui en résulte en tout cas est ce brassage incorporateur, à des degrés divers, des langues, qui pourrait être lu par certains soit comme le ressort d'une « dissidence esthétique » (Casanova, 1999 : 186), soit comme une nécessité émanant d'une réalité sociolinguistique de plus en plus repérable dans les littératures francophones. Ces littératures, qui ont vu le jour d'abord dans des terreaux locaux avec les premières générations d'écrivains durant la période coloniale et ensuite à l'étranger avec une nouvelle génération d'écrivains postcoloniaux, font partie du canevas translittéraire au sens de transnational. Ainsi déroger aux règles de la langue ne constitue pas une fin en soi, mais répond au besoin d'approprier son discours littéraire au lectorat indigène parce que l'écrit, bien qu'il soulève des questions universelles, demeure tributaire de son ancrage territorial et culturel. Et Chamoiseau de résumer cette démarche de stylisation et d'ouverture à la francosphère irriguée de toutes les origines dans les phrases suivantes :

> L'Écrire ouvert, [...] c'est l'Écrire-langages, mener en sa langue l'émoi des autres langues et de leurs possibles-impossibles contacts, supputer ces adhérences qui distinguent, ces rejets qui fécondent, ces gemmations inattendues d'où le chant peut s'élever, la merveille des significations qui convergent, s'étagent, dans des mots inconnus, ce chaos dont l'alphabet submerge notre entendement mais connive en belle aise avec l'imaginaire. (1997 : 294)

Propice à une forme d'alchimie langagière, la langue qu'utilise l'écrivain francophone se prête à la réinvention, au réagencement et à la création d'ordre idiolectal. Soumise à la loi de l'évolution, une langue qui se veut vivante s'enrichit au contact des autres langues, même si les codes régulateurs de son emploi se voient parfois subvertis en vertu du faire poïétique, autrement dit, créateur. Subvertir les canons scripturaux pour mieux refléter la diversité et la spécificité de chaque espace littéraire, loin des idées stéréotypées et calquées sur une vision exotique héritée depuis si longtemps, est devenu un trait distinctif décelable dans presque toute la production littéraire francophone. Force est donc de déduire que la littérature postcoloniale est post-exotique. Abstraction faite des répercussions et des enjeux linguisticoculturels d'une telle altération, celle-ci a donné lieu à de nombreux termes innovants et expressifs ayant lexicalement une valeur ajoutée et un apport particulier à la langue française.

Une telle écriture ouverte à l'hétérogénéité linguistique suppose l'entrecroisement de plusieurs imaginaires, *a priori* différents et distants géographiquement. C'est dans ce sens que de nombreux critiques s'attellent à étudier l'imaginaire postcolonial, qui est censé transcender les scissions d'autrefois pour faire valoir la part anthropogéographique des œuvres littéraires francophones, et à faire également état des problématiques récentes à la lumière de ce que traversent à présent les littératures dans le monde, notamment celles qui se penchent sur les abysses inexplorés des diverses expériences humaines et les nombreuses mutations que connaissent leur société. La vocation multiple de ces littératures est axée surtout sur les aspects cognitif, testimonial, initiatique, cathartique et même ethnodocumentaire, auxquels s'ajoute une veine historiographique pour remédier aux failles de l'Histoire. Cet espace translittéraire ne peut être conçu en délaissant ce qui le sédimente. Concevoir littérairement un tel espace, c'est reconnaître que la littérature est transfrontalière, difficile à confiner dans des amarrages limitrophes.

C'est une littérature transmigrante selon Khatibi, qui a proposé la dénomination de « textualité nomade » (Khatibi, 1993 : 31) dans son ouvrage *Penser le Maghreb*. À force d'être écrit, lu et saisi dans plusieurs espaces métropolitains et périphériques, le texte finit par être un trans-texte, cette transtextualité trouvant sa justification dans la formule glissantienne « [t]out alentour, l'idée se relaie » (Glissant, 1990 : 58). C'est dire que le texte devient une dissémination « reliante » là où elle émigre. Ce nomadisme littéraire se nourrit des lisières et des clivages culturels ainsi que des questionnements incessants de la mémoire, de soi et de l'Autre en vue de mieux se connaître et d'appréhender l'acte d'écrire comme une mise à l'épreuve de son aptitude à s'ouvrir à cet espace transculturel jalonné d'une verve critique si présente dans les œuvres des trois écrivains.

De toute évidence, faire coexister le récurrent et le différentiel n'est pas une tâche des plus faciles dans un espace marqué, voire « ritualisé » par ce que Deleuze appelle « des prédicats anthropologiques » (1968 : 33) qui façonnent les contours définitoires de la représentation du monde, de quelque manière que celle-ci soit conçue au Nord et au Sud. Il s'ensuit qu'à l'horizon relativement mouvant d'un centre qu'affectent les changements à l'ère de la mondialisation et d'alentours enclins toujours aux transformations, les deux *topoï* s'influencent mutuellement. Cette influence fait penser à ce que le comparatiste Ottmar Ette nomme « les littératures sans domicile fixe » parce que ses démiurges changent de destination et donc de domicile. Sans doute y a-t-il des constantes autant que des variantes entre ces deux paires de lieux (centre et périphérie, local et étranger) dont la production littéraire postcoloniale en constitue en quelque sorte un inventaire, comme l'indique Moura : « […] Mais la critique postcoloniale peut aider à dégager une homogénéité d'inspiration et de style en dessinant un espace commun à certaines littératures francophones comme, du reste, à d'autres littératures europhones » (1999 : 2-3).

L'écrit « désaxé » (Khatibi, 1983 : 42), c'est-à-dire décentré de la langue et de la culture centripètes, crée des écarts culturels et linguistiques parce que le style d'écriture de certains écrivains exerce une influence sur la forme et la valeur du message. C'est pour cela que plusieurs œuvres littéraires antillaises et maghrébines se placent sous le signe du décentrement.

Les littératures francophones se rangent dans ce décentrage heuristique, d'une part, en recourant à la diglossie et au néologisme et, d'autre part, en abordant certaines questions comme l'exode vers les pays d'Europe et des Amériques. La situation socioculturelle des auteurs de ce genre d'œuvres est au diapason du décentrage et de l'ancrage, du continental et de l'intercontinental dont parle Khatibi: «Cours, cours à travers le monde, poursuis ton destin intercontinental!», écrit-il (1983: 77).

L'écriture glissantienne, chamoisienne et khatibienne véhicule un dire décentré de «l'habitus», du conventionnel traitant de l'acculturation, des dérives des «identités ou réalités désincarnées» (Glissant 1997b: 280) et du rapport entre récit factuel et récit fictionnel. Dans *Amour bilingue,* Khatibi annonce explicitement son aspiration à une «pensée-autre» (1983: 122), qui rompt avec le préétabli et se démarque des schémas narratifs hérités de ses prédécesseurs. Plus encore, l'exil dans certaines de ses œuvres acquiert une acception métaphorique et devient une vie seconde fondée sur l'imagerie du dehors, une sorte de sur-vie menée en parallèle avec la vraie vie pour conjurer les marasmes de la fixité. Cette vie bipolaire n'a rien de périlleux parce que même en psychologie on parle de zones de transitionalité entre «une face interne et une face externe, c'est-à-dire [une] interface permettant la distinction du dehors et du dedans» (Anzieu, 1995: 58). Évidemment, comme l'attestent ses œuvres, Khatibi écrit depuis ces interfaces: maghrébine, méditerranéenne, arabe, nord-africaine et européenne. Toutes ces dimensions polaires qu'il explore pétrissent son écriture. Car seule la transculturalité garantit à ses écrits la transtextualité parce qu'elle convoque la différence comme condition *sine qua non* pour innover et dire le monde en passe de permanentes transmutations.

Quoique la relation avec le centre métropolitain soit imparable, elle est parfois à l'origine d'une étrange expérience, celle d'un premier exil intérieur, selon Khatibi. De même, cette expérience est vécue par Glissant, dont le trajet existentiel suggère ce va-et-vient entre «l'ici hexagonal» et «l'ailleurs antillais». Car le fait d'être né aux Antilles, qui constituent *grosso modo* la toile de fond de ses romans, permet d'emblée de situer ses écrits littéraires dans un rapport de distanciation géographique avec le centre, source de la langue de son œuvre. Bien que les événements et les actions majeures des protagonistes dans les romans glissantiens aient lieu dans des cadres spatiotemporels et des paysages caribéens, la métropole reste quasiment présente pour rappeler le lien à la fois concret et symbolique, tendu et subtil entre le centre et la périphérie.

Il est à noter que l'exil, chez Glissant, Chamoiseau et Khatibi, semble être double, effectif et fictif, en raison de la fictionnalisation de maintes trajectoires individuelles et collectives, et vécu comme une béance : c'est d'abord un exil dans l'Histoire déchiquetée, principalement, par la conquête/la colonisation et la diaspora. Puis un exil dans la francité, la langue de l'Autre, devenue par la suite leur langue de prédilection. Pour Khatibi, la question identitaire est posée aussi bien dans ses œuvres de fiction que dans ses ouvrages critiques. Elle transparaît dans la description de ses personnages en prise avec l'idée du binarisme qui structure ses écrits : réel et onirisme, mémoire et amnésie, moi et Autre, langue maternelle (l'arabe) et langue étrangère (le français), sédentarité et nomadisme, idem et pluriel, tradition et modernité, lucidité et égarement, et bien d'autres dualités que l'on trouve surtout dans *Amour bilingue*. Dans ce récit, le personnage principal dont l'identité est ambiguë, voire opaque parce qu'elle est double, se présente tantôt comme un être androgyne, tantôt comme une personne anonyme (il/elle), tantôt comme une langue anthropomorphisée. Cette crise de la représentation du personnage central dans les récits postcoloniaux déroute le lecteur et l'incite à repenser l'histoire d'un personnage bilingue fluctuant, constamment entre deux espaces et deux langues différentes. De tels personnages en perpétuelle quête de soi, se sentant d'un côté aliénés et d'un autre revigorés, se livrent à l'errance au gré d'espaces interstitiels, ceux des dyades linguistiques et existentielles que donne à voir l'écriture autoréférentielle de Khatibi dont le français, sa langue d'écriture, est subsumé par la diglossie que représente autant l'arabe littéraire (dit aussi savant) que l'insertion de mots en arabe dialectal ; ses « mots maternels » (1983 : 58) interfèrent avec les mots étrangers. Cette situation d'insertion exogène influe substantiellement sur la syntagmatique des récits khatibiens tracés par des personnages qui ne cessent de s'interroger sur leur situation d'exilés, d'émigrés et d'errants dans les chemins sinusoïdaux des villes fréquentées.

Cette question de l'exil est posée avec plus d'acuité dans la littérature antillaise. Elle rend problématique le rapport à la mémoire, aux « deux paysages » (Glissant, 1997b : 84), africain et antillais, et à la double origine : l'africanité, l'antillanité/la créolité, auxquels s'ajoute la double image du marron et de l'esclave dépeints dans *Le quatrième siècle*. Ces deux personnages antagonistes représentent deux lignées familiales opposées et donc deux périples identitaires caractérisés par les clivages suivants : émancipation et aliénation, terre et mer, errance et atavisme, parole et silence, aïeul et bisaïeul (1997b : 86), oralité et écriture. Cette opposition est renforcée par une onomastique qui a une portée significative, surtout les noms « Liberté », « Apostrophe » et « Longoué », ce dernier désignant un long cri retentissant dans le silence : « Il poussa un cri énorme [...], un "oué" sans limites qui répercuta en échos [...] » (1997b : 168). Ces noms attribués aux personnages résonnent comme des points d'ancrage contre l'oubli et l'exil.

De surcroît, le choix du paysage insulaire, où l'ensemble des îles constitutives des archipels caribéens renvoie à l'image du personnage solitaire, exilé sur une île, coupé de ses origines et déterminé à restituer aussi bien la chaîne généalogique de ses aïeuls que les maillons de son histoire communautaire pour sortir de son isolement dans l'île, est manifeste dans la littérature antillaise. Cette restitution s'opère littérairement par l'adoption d'une stratégie narrative non linéaire, bifurquée à l'image de la bifurcation des itinéraires de la ville de Lambrianne dans *La Lézarde* et des dédales menant aux mangroves et aux mornes dans *Le quatrième siècle*. Dans ce roman, l'absence d'un *leitmotiv* chronologique sur lequel repose les événements racontés est voulue pour rendre compte des entremêlements des histoires imbriquées et relayées par une double instance énonciative contradictoire, celle de deux protagonistes tout à fait différents, mais dont le plus jeune est « considéré comme l'héritier ou le continuateur » (1997b : 284) de toute la communauté. Ce jeune, appelé Mathieu Béluse, est assoiffé d'histoire, il ne cesse de questionner son vieil interlocuteur Papa Longoué dans un dialogue intergénérationnel sur l'histoire de leur contrée et de leur passé commun au point que l'auteur au milieu du roman intervertit leurs rôles respectifs en les désignant par « l'enfant vieillard [et] le vieillard enfant » (1997b : 244). L'enfant, héritier des Béluse, aspirait à un héritage vrai, qu'il apprend à connaître de façon méthodique à l'encontre des bribes de réminiscences éparpillées et incertaines que raconte d'une façon intermittente le vieux. En misant sur le jeune Mathieu, Glissant cherche à assurer, même littérairement dans ses œuvres, un relais transgénérationnel à sa communauté.

Au fur et à mesure, chez Glissant, la quête identitaire se mue en une enquête sur les origines que mènent ses personnages, motivés par un double acte, celui d'amarrer et d'arrimer deux départs et deux arrivées, ce qu'indique cette phrase chiasmatique: «[...] suivre un arrivage d'un départ, un départ d'une arrivée [...] pour amarrer le grain de terre au grain de terre» (1997b: 330), pour mettre fin à leur exil intérieur dans une langue romanesque métissée de termes créoles, de «langues africaines» (1997b: 246) et du rythme du «tam-tam» (1997b: 249). Par le truchement de l'image métropole/alentour, le lecteur suit la consternation et l'évolution des personnages chamoisiens, glissantiens et khatibiens dont les trajets, bien que divergents, partent d'un même noyau spatial (les grandes villes antillaises et nord-africaines) et trament un faisceau relationnel entre les lieux. La fréquentation des divers endroits amenuise le péril d'être happé dans une stérile monotonie et minimise les retombées d'une vision unilatérale et totalisante du monde.

À bien des égards, en passant du centre à la périphérie et inversement, l'écriture ne cherche pas à homogénéiser les idées, mais à révéler l'inédit et le divers. De là émerge l'idée que n'être point semblable à l'Autre ne signifie pas ne pas participer d'un même espace, qui n'est pas forcément territorial, mais langagier et symbolique. La Cité, espace métropolitain vers lequel convergent les personnages de *La Lézarde*, du *quatrième siècle* et d'*Amour bilingue*, est perçue par les protagonistes comme un lieu symbolicopolitique autour duquel il y a partage et adhérence aux mêmes valeurs communes, mais décrit en même temps comme un lieu de différends et de divisions entre toutes ses parties prenantes. C'est vers ce centre urbain que s'acheminent les personnages de Khatibi, portés par leurs angoisses et leurs espérances. Il faudrait y voir les signes de l'attachement personnel au lieu et à l'histoire collective, «le temps désormais noué à la terre» (1997b: 322), précise Glissant. Dans les romans glissantiens, la ville est saisie différemment par les personnages. Dans *La Lézarde,* c'est le symbole de l'hégémonie du «Centre» (1997a: 36), tandis que, dans *Le quatrième siècle*, la métropole est définie en ces termes: «[L]a ville était le sanctuaire de la parole, du geste, du combat» (1997b: 278). Il arrive aux personnages de la métamorphoser parfois en un lieu fantasmé: «[...] la ville qu'ils cherchaient, c'était le nuage tassé derrière la ligne de mer et qui jamais ne venait de ce côté remplir le ciel net» (1997b: 276).

Moura présente l'espace citadin, dans la plupart des romans francophones, comme un lieu hybride où se concentrent les contrastes et les songes individuels et collectifs:

> La ville [...] prise entre la pauvreté accablante de la plupart des quartiers et les parties occidentalisées où se concentrent puissance et richesse, sa représentation dessine un espace d'opulence et de pouvoir et un espace de soumission qui sont chacun victimes de maux spécifiques [...]. Le clivage espace de pouvoir/espace de soumission, observé dans la représentation de la ville, est repris à l'échelle du pays. (1992 : 183-184)

Étant donné que les personnages, qui représentent les idées et les positions des écrivains, ne sont pas coupés de leurs espaces sociétaux et intimes (villes, mornes, bourgs, foyers, îles, mers, déserts), ils trouvent dans l'espace textuel qui recèle leurs minihistoires le reflet de ce miroitement. Ce faisant, Glissant et Khatibi, philosophe et sociologue de formation, n'ont pas pour objectif de laisser le lecteur appréhender leurs œuvres uniquement à partir d'éléments autobiographiques. Ils se réfèrent à d'autres composantes socioculturelles et historiques pour étayer leurs réflexions respectives.

La superstructure et l'infrastructure dans les œuvres étudiées

Les rapports entre auteur, écriture et univers social s'insinuent dans une perspective mouvante. Loin d'avoir des visées déterministes ou simplificatrices, l'approche sociocritique s'emploie à savoir en quoi et dans quelle mesure l'œuvre littéraire est une réalité complexe. Il en résulte que l'œuvre littéraire repose sur le binôme texte et extratexte ou encore sur le littéraire et l'extralittéraire, entretenant une relation de réciprocité parce que, d'une part, l'individuel est irréductible au collectif et que, d'autre part, le social agit sur l'individuel. Une pareille interaction instaure des choix méthodologiques sur le plan de la forme textuelle adoptée par l'écrivain ainsi que dans les sujets traités. En ce qui concerne cette relation entre le contexte socioculturel de l'écrivain et sa pratique littéraire, Maingueneau affirme que « [t]out écrivain nourrit son œuvre du caractère radicalement problématique de sa propre appartenance au champ littéraire et à sa société » (1993 : 27).

Bien au-delà de leur acception topographique conforme à l'usage souvent « catégoriel » qu'il en est fait, les concepts de centre et de périphérie permettent de définir la valeur de l'œuvre littéraire étudiée dans une configuration socioculturelle bien précise. Une telle configuration est multipolaire, c'est-à-dire qu'il y a plusieurs « périphéries » liées au centre. À ce titre, la littérature maghrébine d'expression française est, à son tour, répartie en littérature beur, littérature de l'immigration et aussi littérature franco-berbère. À propos de la dénomination « périphérique » qui, en vérité, ne diminue en rien la valeur littéraire des œuvres en question, Deleuze et Guattari avancent qu'une littérature mineure est le produit « d'un groupe minoritaire », parlant une langue dominée par ses propres locuteurs considérés comme influents et puissants, voulant prouver son autonomie et son aptitude à s'exprimer dans la langue du dominant. Toutefois, les écrivains antillais et maghrébins ne partagent pas tous les mêmes visions et les mêmes convictions sur cette question. Aux Antilles et au Maghreb postcoloniaux, l'appropriation de la langue de l'ancien colonisateur sert, selon la célèbre formule de Kateb Yacine, de « butin de guerre » et constitue aujourd'hui encore un motif de narration et un outil d'expression pour nombre d'auteurs afin de sortir de la délinéation dialectique dominant/dominé et de soulever des sujets nouveaux liés à leur vécu et à l'actualité.

Les œuvres de Glissant, de Chamoiseau et de Khatibi semblent être vouées à une classification thématique, celle d'une littérature du militantisme, de la quête identitaire et de l'altérité. S'y ajoutent les tergiversations quant à leur appartenance aux microlittératures des minorités ethniques corrélées à une macrolittérature du centre. Dans le sillage des études postcoloniales, plusieurs écrivains, penseurs et critiques ont tenté d'expliquer ce lien littéraire entre centre et périphéries sous l'angle de la subordination et/ou de l'interrelation, de la dépendance et/ou de la corrélation. Car l'appellation de microlittératures n'a rien à voir avec la littérarité ou la qualité des textes, mais plutôt avec le pôle géographique et la différence esthétique et thématique de ces littératures. Cette répartition dénote surtout leur extraterritorialité par rapport au centre. Quel que soit le degré de poéticité des œuvres de Glissant, de Chamoiseau et de Khatibi, elles donnent à voir les valeurs et les idées tendant à désenclaver la littérature de toute borne restrictive. En s'interrogeant sur les représentations sociales assignées à la littérature aussi bien au Sud qu'au Nord, Angenot (2013) « anthropomorphise » la littérature et établit avec elle un dialogue portant sur sa praxis, c'est-à-dire son champ d'action et ses lignes de force organisatrices et même réformatrices des fentes sociales. Il en découle que le lien de « la superstructure » de la société, formée d'institutions politiques, culturelles et juridiques, est déterminé entre autres par « l'infrastructure socio-économique », aussi bien au Maghreb qu'aux Antilles. Cette idée de l'influence entre les deux types de structure renoue avec le duo centre dominant et périphérie dominée, qui ne peuvent pas être géographiquement interchangeables, mais qui influent l'un sur l'autre. Ainsi, dans l'économie générale du récit des trois écrivains, le lecteur a affaire à une œuvre-document intégrant l'inhérent et l'extrinsèque à soi. Maingueneau confirme à ce propos qu'il est

> [...] essentiel d'admettre que la littérature pour exister vraiment, doit révéler à la fois la conscience humaine, l'expérience individuelle et le long et pénible enfantement de l'expression. Il y a toujours, d'un côté la subjectivité et de l'autre côté des formes qui ne pourront jamais atteindre l'objectivité parce que leur richesse est telle que le sens reste ouvert, débordé par sa densité. (1993: 116)

Dans la Caraïbe, «l'infrastructure» portait essentiellement, du temps de l'écriture du *quatrième siècle,* sur «la Plantation» (Glissant, 1997b: 116) des cannes à sucre, alors qu'au Maghreb, c'était l'agriculture, l'artisanat et l'immigration vers l'Hexagone pour travailler.

Pour rendre compte de la relation entre production littéraire et société, le sociologue Durkheim souligne que l'histoire des idées enregistrées au moyen de l'écriture littéraire est une production intellectuelle destinée à se transformer constamment au rythme de la production «infra-structurale», celle de l'industrie, du commerce et du travail agricole auxquels vient s'adjoindre actuellement les services connectés aux nouvelles technologies. Le développement de ces activités économiques ne signifie pas que le paramètre espace-temps est vécu comme «sécurisant» (Glissant, 1981: 87) et à l'abri de toute modification, si infime soit-elle. Car il dépend en partie des «tensions inter-ou intra-groupes» (*ibid.*) et des changements internes et externes au sein des ethnies ou des communautés. Khatibi rejoint l'idée de Glissant avec ce qu'il appelle «le dedans et le dehors» du texte, renvoyant encore une fois à la double dimension narrative et sociale de l'œuvre littéraire. Le lien entre «le dedans» textuel et «le dehors» social est sous-tendu par l'ordre infrastructurel et superstructurel dans la mesure où le texte en est le produit. Dans cette perspective comparative de ces deux espaces, Moura analyse «la dialectique dedans/dehors» (1992: 42) ainsi que le rapport «autonomie/dépendance» (*ibid.*) entre le centre et les périphéries pour montrer les rapports et les enjeux littéraires qui les associent.

La synergie entre « le dedans et le dehors » dans les œuvres de Glissant, de Chamoiseau et de Khatibi

Le sens se construit à la fois à partir du « dedans et [du] dehors » (Khatibi, 1983 : 47) tout comme le contact civilisationnel qui valorise l'échange et l'interaction afin de tirer profit de la différence culturelle. « La culture-refuge » à laquelle aspirent Glissant, Khatibi et Chamoiseau dans leurs œuvres est l'ensemble des dispositifs de représentations symboliques pourvoyeurs de significations. Elle intègre un arsenal d'autoreprésentation qui implique, entre autres, ce qui ne leur appartient pas foncièrement, c'est-à-dire ce qui leur est « étranger », pour reprendre un terme récurrent dans *Amour bilingue*. Cette culture résultant des entrelacs a un aspect « symboligène » (Deleuze, 1968 : 3) produisant des œuvres à caractère hybride et nouveau, laissant entendre une voix à double foyer et une tessiture linguistique nouvelle chez les écrivains transfrontaliers.

Dans *Amour bilingue*, l'opposition entre « le dedans et le dehors », l'intérieur et l'extérieur est d'ordre humain et spatiotemporel, « un transport dehors le temps » (Khatibi, 1974 : 179) et d'ajouter : « Cette présence impérative du dedans qui l'attirait et l'excluait à la fois » (1983 : 22). La psychanalyse a donné à ces deux ordres une valeur anthropologique dont la fonction structurante est cruciale dans l'organisation du rapport avec l'Autre. Car ce qui est étranger est considéré comme hostile et dangereux pour le « je » et le « nous ». Dans les écrits de Glissant, de Chamoiseau et de Khatibi, les rituels, les mythes et les coutumes constituent un ensemble de références pour soutenir l'ancrage identitaire qui, dans certains cas, semble être accablant pour Khatibi parce qu'il préconise l'étrangeté et rejette le typique aliénant : « L'Étranger, il faut que je m'attache à tout ce qui l'est sur cette terre » (1983 : 11).

Même si le sujet écrivant change d'optique en fonction de l'impact du « dehors », les structures de l'imaginaire collectif et de la langue restent les mêmes quoique certains de leurs constituants soient partiellement muables. Les trois auteurs se proposent donc de repenser leur propre culture et de réviser les contenus refoulés avec « les schèmes affectifs » (Durand, 1992 : 55) qui s'y rattachent. Toutes les assises culturelles portent traces et cicatrices des signes traumatiques de soi, de « l'épaisseur du monde » (Glissant, 1997b : 281) et des événements historiques qu'ont connu les Antilles et le Maghreb. Cela ne veut pas dire que le système topique devrait se fermer au monde extérieur pour garder ses structures intactes et son espace intérieur « indemne » (Khatibi, 1983 : 81) afin qu'ils ne se désagrègent pas : « Le sujet tire à lui le dehors qui le fonde. Et qui le dissoudra », affirme Khatibi (1983 : 22). Maintenir le noyau structurel de sa topique sans se dissoudre dans les flux culturels provenant de « l'ailleurs » (Glissant, 1997a : 55) peut se réaliser grâce à ce que le sociologue français Edgar Morin appelle « un dynamisme stabilisé » (1990 : 31), ayant une autonomie dans et par l'ouverture. Dans le droit fil de ces idées, le psychanalyste Winnicott pense qu'en chaque personne se fait et se défait les liens de ce qu'il appelle « l'extension de l'aire transitionnelle culturelle » (Anzieu, 1995 : 6), une aire de médiation et d'éclosion d'un espace labile, de transition psychique entre soi-même et autrui, le monde réel et la subjectivité de tout un chacun. Une telle médiation n'aurait offert d'intérêt si ce n'était sa relation à la mouvance des structures de l'imaginaire communautaire propices aux transformations sociales. Ces structures dépendent donc d'une alimentation extérieure qu'explique Morin à partir de l'observation de l'organisation énergétique des « systèmes vivants », qui s'applique également aux milieux humain et culturel, donc à « notre éco-système social *hic et nunc* » (1990 : 62) :

> Un système clos, (...) est en état d'équilibre, c'est-à-dire que les échanges en matière/énergie avec l'extérieur sont nuls. Par contre, la constance, de la flamme d'une bougie, la constance du milieu intérieur d'une cellule ou d'un organisme ne sont nullement liées à un tel équilibre ; il y a, au contraire, déséquilibre dans le flux énergétique qui les alimente, et, sans ce flux, il y aurait dérèglement organisationnel entraînant rapidement le dépérissement. (1990 : 30)

Empiriquement, la définition de Morin montre que tout système, quelle que soit sa nature, est régulé par un dedans et un dehors. Le dedans, en ayant « une valeur [...]dogmatologique » (1990 : 33), circonscrit généralement les repères du vivre-ensemble et se révèle constamment réfractaire au changement. C'est pourquoi Khatibi introduit l'expression de « tremblement paradigmatique » (1983 : 21) qu'est une mise en question du déjà-vu pour réviser certaines notions qui peuvent se révéler désuètes ou même obsolètes, et ce, en faveur d'une meilleure évolution de soi et de la topique sociétale. Ces deux expressions font écho à ce que Morin nomme « le tournant paradigmatique » (1990 : 73), qui peut advenir à n'importe quel moment dans l'histoire d'une communauté donnée, qu'elle soit du centre ou des périphéries. Du point de vue méthodologique, tout tournant au fil de l'Histoire nécessite de nouveaux concepts paradigmatiques d'ordre sociocritique pour construire des approches en vue de mieux comprendre et analyser les fissures et les oscillations induites à la suite d'un déséquilibre minant de l'intérieur la topique socioculturelle. Mais le maintien de cet équilibre à sens unique et introverti pourrait bien aboutir au repli, puis probablement au délitement. En ce sens, Morin est favorable dans ses écrits à l'idée de l'intersection intertopique des énergies internes et externes pour permettre au système topique de toute société de se maintenir en équilibre et d'esquiver une apparente stabilité précaire encourant à tout moment l'écroulement: «[Un] état de stabilité et de continuité [...] ne peut que se dégrader s'il est livré à lui-même, c'est-à-dire s'il y a clôture» de la topique (1990, 30).

Il en va autrement du «dedans et [du] dehors» glissantiens, qui prennent appui sur l'élaboration de l'idée du «carcan originel» (1997b: 118) et d'une «nouvelle ère» (1997a: 18). Le moi de l'auteur dans *La Lézarde* et *Le quatrième siècle* est étroitement lié à «une démarche consciente» (1997a: 55) suivant pas à pas la marche collective des habitants de la Lambrianne et celle des habitants de La Pointe des Sables et de La Touffaille dans ces deux romans. Glissant y parle de «psychologie» (1997b: 212) et de références communautaires qui ont perdu de leur valeur originaire. Le traumatisme de la psyché, depuis la déportation des esclaves et «le vacarme et le délire des eaux» (1997b: 176), caractérise une mémoire fragilisée. Dans ce sens, le psychanalyste Didier Anzieu ne manque pas de noter que le fonctionnement «groupal» (1998: 158) dans un lieu donné se régénère par la constitution d'une nouvelle enveloppe psychique susceptible d'être intériorisée par chaque membre de ce groupe. L'expérience du legs reterritorialisé constitue une étape vers la réconciliation avec «une nouvelle étape du chemin» (1997b: 14), voire avec l'histoire.

A fortiori, dans une telle situation, la restitution des liens communautaires est contrariée par les difficultés de l'adaptation du dedans originaire et du dehors d'«une race [qui] allait s'éteindre si elle ne construit pas des ponts culturels afin de bien ancrer "ses racines dans la terre du futur"» (1997b: 105). Les travaux psychoanthropologiques se sont intéressés aux rapports intrinsèques entre l'univers psychique et le cadre culturel externe dans lequel s'inscrit un tel comportement. «L'espace clos» (1997a: 76), ou du moins infranchissable, fait écho aussi aux esprits gagnés par l'impossible sortie de ce «long délire» (1997b: 108). Cette claustration mentale débouche sur la crispation de soi et la dégénérescence. Dans les œuvres chamoisiennes et glissantiennes, les images archétypales de l'esclave et du marron sont la preuve de cette hantise psychocomportementale que double la symbolique spatiale villes/mornes. Les plantations dans les romans glissantiens sont perçues comme des mini-espaces clos que les personnages se trouvent contraints à fréquenter pour y travailler tandis que, dans les œuvres de Khatibi, la ville est le lieu des rencontres et des déambulations, révélant son aspiration à un autre espace de partage en dehors des confins du dedans. Cette jonction paradoxale, douloureuse entre le dedans et le dehors édifie selon Khatibi une expérience viatique joignant l'intime et l'extime : « [...] cette mobilité du dehors et du dedans dans le corps bilingue, une division, en simulacre, ne l'excluait pas, ni ne le fixait à un temps réglé sur l'horloge de ses inspirations » (1983 : 47).

Conclusion

En définitive, il est à signaler que l'espace interculturel qui lie les pays francophones est structuré par maints lieux communs qui façonnent l'imaginaire des écrivains, leur inspirant ainsi des réflexions portant sur les diverses interférences qui peuvent avoir une influence sur le legs colonial dans les Caraïbes et au Maghreb. Les différents rapports entre l'endogène et l'exogène participent de cette dynamique littéraire que l'étiquetage terminologique répertorie en deux taxinomies : littérature française, celle du centre, et littérature francophone, celle des périphéries. Leur dénominateur commun est la langue française, relais que résume l'expression « *transatlantic solidarities* », les solidarités transatlantiques en littérature, objet d'étude actuellement dans les *postcolonial french studies*.

Les écrivains de la postcolonialité réclament dans leurs écrits une « mise-en-relation » (Chamoiseau, 1997 : 328) et discréditent la « mise -sous-relation » (1997 : 328) pour s'affranchir des traces douloureuses du passé et aller de l'avant, car ils croient en l'efficience de la littérature et à son attrait prospectif, trans-scriptural. La répartition taxinomique des littératures francophones s'est opérée, entre autres, en fonction du découpage géographique incluant les Antilles francophones, l'Afrique du Nord (dite aussi le Maghreb), les pays d'Afrique francophone, l'océan Indien et les régions francophones d'Amérique du Nord, alors que les corpus des littératures francophones de la Belgique et de la Suisse romande ont un statut littéraire différent parce que ces pays ne font pas partie des ensembles postcoloniaux. Les littératures francophones pourraient être qualifiées de traversières tant elles sont traversées par plusieurs référents, d'où leur caractère transférentiel renforcé par la mise en contact des cultures à l'ère de la mondialisation. Pour nombre d'écrivains francophones, l'écriture se situe à la croisée de ce qui est communément appelé l'entre-deux littéraire, le *in-betweenness*, qui « signifie une écoute de moi et de l'entour, de l'en-dedans et du dehors, dans le clos et l'ouvert, une topographie fluide arpentée » (Chamoiseau, 1997 : 292) à laquelle s'ajoute un penchant vers « une multi-relation » (Glissant, 1981 : 249) alimentant l'imaginaire des auteurs qui cherchent à établir le lien entre l'ère et l'aire, la temporalité et la géographie, le premier terme du second duo étant changeant et amovible alors que le second est fixe. L'objectif d'une telle écriture est non pas de fixer littérairement ce qui est mouvant, mais de faire l'état des lieux de ce changement aussi bien au centre que dans les périphéries. Et ce, pour bâtir une transtopographie littéraire caractérisée de plus en plus par des récits protéiformes transcodés linguistiquement par l'emploi des di, tri et polyglossies propres à chaque pays. Cette transcréation est entretenue surtout par les écrivains de l'exoterritorialité dont la posture confirmée conforte cette entreprise de transcodage langagier et idéel, qui fait davantage l'objet de décorticage dans les études littéraires postcoloniales.

Bibliographie

Andinet, Jacques (1999). *Le temps du métissage*, Paris, Les Éditions ouvrières.

Angenot, Marc (2013). *Les dehors de la littérature : du roman populaire à la science-fiction*, Paris, Honoré Champion.

Anzieu, Didier [(1985) 1 995]. *Le Moi-Peau*, Paris, Dunod.

Casanova, Pascale [(1999) 2 008]. *La République mondiale des Lettres*, Paris, Seuil.

Chamoiseau, Patrick (1997). *Écrire en pays dominé*, Paris, Gallimard.

Deleuze, Gilles (1968) *Différence et répétition*, Paris, Presses universitaires de France.

Durand, Gilbert (1992). *Les structures anthropologiques de l'imaginaire*, Paris, Dunod.

Durand, Gilbert (1996). *Introduction à la mythodologie*, Paris, Albin Michel.

DURKHEIM, Émile (1975). *Textes 3: fonctions sociales et institutions*, Paris, Éditions de Minuit.

FREUND, Julien (1986). « Le polythéisme chez Max Weber / *Max Weber and Polytheism* », *Société moderne et religion: autour de Max Weber*, Paris, Archives de sciences sociales des religions, vol. 61, n° 1 (janvier-mars).

GLISSANT, Édouard (1981). *Le discours antillais*, Paris, Seuil.

GLISSANT, Édouard (1990). *Poétique de la Relation (Poétique III)*, Paris, Gallimard.

GLISSANT, Édouard [(1958) 1997a]. *La Lézarde*, Paris, Gallimard.

GLISSANT, Édouard [(1964) 1 997b]. *Le quatrième siècle*, Paris, Gallimard.

GLISSANT, Édouard (1997). *Traité du Tout -Monde (Poétique IV)*, Paris, Gallimard.

GUÉRIN, Michel (2008). *L'espace plastique*, Bruxelles, Éditions La Part de l'Œil.

KAËS, René, et Didier ANZIEU (dir.) (1998). *Différence culturelle et souffrances de l'identité*, Paris, Dunod.

KHATIBI, Abdelkébir (1974). *La blessure du nom propre*, Paris, Denoël.

KHATIBI, Abdelkébir (1983). *Amour bilingue*, Montpellier, Fata Morgana.

KHATIBI, Abdelkébir (1983). *Maghreb pluriel*, Paris, Denoël.

KHATIBI, Abdelkébir (1987). *Figures de l'étranger*, Paris, Denoël.

KHATIBI, Abdelkébir (1993). *Penser le Maghreb*, Paris, Denoël.

LÉONARD, Albert (1974). *La crise du concept de littérature en France au XXe siècle*, Paris, Librairie José Corti.

MAINGUENEAU, Dominique (1993). *Le contexte de l'œuvre littéraire: énonciation, écrivain, société*, Paris, Dunod.

MAINGUENEAU, Dominique (2004). *Le discours littéraire: paratopie et scène d'énonciation*, Paris, Armand Colin.

MORIN, Edgar (1990). *Introduction à la pensée complexe*, Paris, ES Éditeur.

MOURA, Jean-Marc (1992). *L'image du tiers-monde dans le roman français contemporain*, Paris, Presses universitaires de France.

MOURA, Jean-Marc (1999). *Littératures francophones et théories postcoloniales*, Paris, Presses universitaires de France.

Immigration et francophonies minoritaires canadiennes : les apories de la cohésion sociale[1]

Leyla Sall
Université de Moncton
Luisa Veronis
Université d'Ottawa
Suzanne Huot
Université de la Colombie-Britannique
Nathalie Piquemal
Université du Manitoba
Faïçal Zellama
Université de Saint-Boniface

Les francophonies minoritaires canadiennes subissent des transformations sociales substantielles en raison de la mondialisation des flux migratoires et de la fédéralisation de l'immigration au Canada (Paquet, 2016). Depuis le début des années 2000, elles sont passées de collectivités revendicatrices de l'autonomie sectorielle, principalement dans les domaines de l'éducation et de la santé (Cardinal et Forgues, 2015[2]), pour s'attribuer le statut de communautés d'accueil d'immigrants francophones, et ce, avec le soutien financier et juridique du gouvernement fédéral et de certaines provinces (CLO et CSFO, 2015). Une telle transformation s'est opérée grâce au militantisme et au droit. En particulier, le militantisme de la Fédération des communautés francophones et acadienne (FCFA) vise à donner aux communautés francophones en situation minoritaire (CFSM) leur part d'immigrants (FCFA, 2019) : ces derniers sont perçus à la fois comme une ressource économique et démographique. Au départ, ce militantisme percevait l'accueil de nouveaux

1. Cet article découle, en partie, d'une étude financée par la Fédération des communautés francophones et acadienne du Canada. Nous tenons à lui exprimer notre reconnaissance.

2. Précisons que les domaines de la santé et de l'éducation sont de responsabilité provinciale, tandis que les politiques d'immigration constituent un champ de compétence partagé entre le fédéral et les provinces.

locuteurs francophones comme un élargissement nécessaire des CFSM face au ralentissement de leur croissance démographique (Farmer, 2008).

Après deux décennies d'accueil de nouveaux arrivants en provenance de la francophonie internationale, qu'en est-il de la cohésion sociale dans les CFSM? Comment les CFSM, dont la cohésion sociale a jusqu'ici reposé sur le principe de l'homogénéité socioculturelle, font-elles pour intégrer la diversité ethnoculturelle et raciale? Le fait de parler le français suffit-il à créer une communauté et à assurer la cohésion sociale au-delà de la diversité? Les nouveaux arrivants sont-ils prêts à faire société dans leur nouvelle communauté d'accueil minoritaire? La seule volonté des CFSM de devenir des communautés d'accueil suffit-elle à assurer leur cohésion sociale? Telles sont les questions qui ont guidé nos réflexions.

Cet article repose sur une approche double combinant déduction et induction. Malgré le point de départ empirique de notre étude, nous ne pouvons pas ignorer la richesse des écrits sur la thématique de la cohésion sociale en sciences sociales et, plus précisément, en sociologie. Ce faisant, nous utilisons nos données qualitatives tant pour étayer des hypothèses découlant de certaines tendances lourdes soulignées dans plusieurs études que pour illustrer certaines spécificités des CFSM, qui doivent gérer la cohésion sociale dans un contexte de diversité.

Nous procédons en trois temps. Dans un premier temps, nous présentons nos assises conceptuelles. Dans un deuxième temps, nous décrivons notre méthodologie, dont les instruments de collecte des données, le profil des participants et l'analyse thématique des données. Dans un troisième temps, nous abordons trois thématiques découlant de nos résultats: la nécessité et les défis du passage d'un groupement nationalitaire ethnique au groupement nationalitaire contractuel, les effets de l'incomplétude institutionnelle des CFSM en matière d'immigration et les caractéristiques transnationales et pragmatiques des immigrants.

La cohésion sociale et les CFSM

La cohésion sociale, également appelée cohésion communautaire, fait généralement référence à la notion de bonne entente entre individus dans une même localité. Au fur et à mesure que le terme s'est développé, il s'est élargi pour comprendre les idées d'identité partagée et de respect des différences culturelles, le niveau élevé d'interaction sociale, l'engagement civique et la possibilité de réussir pour tous (Holtug et Mason, 2010). Plus précisément, «la cohésion communautaire devrait se produire dans toutes communautés pour permettre à différents groupes de personnes de bien s'entendre» (Bannister et O'Sullivan, 2013: 96).

Rappelons qu'en raison du contexte dans lequel est née la sociologie (industrialisation, urbanisation, instabilité politique, etc.), la thématique de la cohésion sociale est centrale dans cette discipline. Certains fondateurs de la sociologie tels qu'Auguste Comte (1869) et Émile Durkheim (1976; 1983) ont étudié leur société dans le but de trouver des solutions à la problématique de la cohésion sociale. Pour Comte (1869), les conflits sociaux en France étaient dus à la juxtaposition de types de connaissances hétérogènes (les connaissances théologiques, métaphysiques et scientifiques), et la solution résidait dans la généralisation des connaissances positives ou scientifiques qui favoriseraient une nouvelle cohésion sociale en faisant prendre conscience à chacun de sa place dans la société. Pour Durkheim (1976), le passage d'une société à solidarité mécanique à une société à solidarité organique, individualiste et potentiellement anomique nécessitait l'invention d'un nouveau modèle de cohésion sociale.

Dans ses récentes tendances, cette discipline, devenue plus empirique, étudie les facteurs favorables et défavorables de la cohésion sociale. Les facteurs favorables les plus souvent relevés sont les suivants: des possibilités de réussir sa vie similaires indépendamment de l'origine ethnique ou nationale des individus vivant dans une collectivité (Holtug et Mason, 2010), la confiance entre les individus et la confiance envers les institutions (Colic-Peisker et Robertson, 2015), une réduction des préjugés grâce à des interactions directes et positives entre des individus appartenant à différents groupes ethniques (Gaffikin et Morrissey, 2011; Hewstone, 2009; Pettigrew et Tropp, 2006) et le développement d'un sentiment d'appartenance à la collectivité grâce à la participation sociale et à l'engagement civique (Gijsberts, Van der Meer et Dagevos, 2012; Soutphommasane, 2016; Upton et Mansell, 2010). Les facteurs défavorables à la cohésion sociale souvent évoqués par les auteurs sont les suivants: la pauvreté endémique prévalant chez des groupes minoritaires racisés et discriminés (Putnam, 2007; Reitz et Banerjee, 2007), la présence d'immigrants dans des régions ethniquement homogènes qui n'ont pas connu d'immigration (Lymperopoulou, 2019) et la coexistence sans mixité et sans interaction durable entre des individus d'origines ethniques diverses. Dans ces cas, la cohésion sociale est inexistante puisque le groupe qui se considère « autochtone » perçoit les immigrants comme une menace à sa culture et à ses privilèges (Blalock, 1967 ; Laurence, 2015 ; Oliver et Wong, 2003).

Sur ce, nous arrivons à trois tendances lourdes qui ont guidé notre étude de la cohésion sociale dans les CFSM face au phénomène de l'immigration :

a) La cohésion sociale implique généralement un processus de destruction créatrice. Pour qu'une collectivité en processus de diversification, en raison soit de la migration, soit des changements sociétaux comme l'individualisation, maintienne un niveau de cohésion sociale acceptable, il lui faut détruire son ancien modèle de cohésion sociale, dorénavant inadapté, afin d'en bâtir un nouveau[3].

b) Les collectivités à prédominance civique sont toujours potentiellement plus inclusives de la diversité que les collectivités à prédominance ethnique (Gallant, 2010 ; Schnapper, 1991) et atteindraient un degré de cohésion sociale plus grand que ces dernières si elles appliquaient leurs principes et leurs valeurs sans détour. Comme le souligne Dominique Schnapper (1991), les nations qui se définissent comme des nations civiques ne le sont jamais totalement en réalité. Il existe toujours chez elles des tendances ethnocentristes qui les empêchent de concrétiser l'idéal-type de la nation civique[4].

c) Les individus laissés à eux-mêmes ne peuvent pas inventer ou mettre en place un modèle de cohésion sociale pour leur collectivité[5]. La mise en place d'un tel modèle nécessite l'intervention

---

3. En sociologie, le cas le plus probant du processus de destruction créative est celui décrit par Émile Durkheim (1983) concernant le passage de la société à solidarité mécanique à la société à solidarité organique.
4. Le cas de la France est éclairant de ce point de vue. Il suffit de voir comment cette nation qui se définit et se perçoit comme civique a du mal à mettre en place de véritables politiques de lutte contre les discriminations raciales, par exemple (Ndiaye, 2008 ; Simon, 2003).
5. Le sociologue Émile Durkheim, dans son ouvrage consacré au suicide (1976), faisait jouer un rôle prépondérant aux corporations. Même si cette solution s'est révélée irréaliste vu la violence de la lutte des classes et les intérêts divergents entre

des pouvoirs publics, mais aussi d'institutions fortes favorisant l'intégration des individus à la société. Or les francophonies minoritaires canadiennes, de par leur incomplétude institutionnelle en matière d'immigration, peuvent tout au plus négocier une cohésion sociale dans un contexte de diversité avec les immigrants d'expression française et espérer faire société avec eux.

Pour étayer ces trois constats, nous adoptons une approche mixte combinant la déduction, qui emprunte des concepts théoriques des recherches en sociologie, et l'induction, en nous basant sur les données empiriques qui découlent de nos groupes de discussion menés dans quatre CFSM. La déduction jumelée à l'induction met en évidence une aporie dans l'atteinte de la cohésion sociale au sein de francophonies minoritaires canadiennes, qui sont des collectivités à prédominance ethnique, caractérisées par une incomplétude institutionnelle en matière d'immigration. De plus, ces collectivités accueillent des immigrants pragmatiques et transnationaux qui ne sont pas prêts à faire société en français de manière inconditionnelle.

Méthodologie

Cet article se base en partie sur des données qualitatives tirées d'une étude portant sur la cohésion sociale dans les CFSM (Huot *et al.*, 2020). Dans cette étude antérieure, nous avons formé neuf groupes de discussion dans les villes des quatre francophonies minoritaires suivantes : le Grand Vancouver (Colombie-Britannique), Winnipeg (Manitoba), Ottawa (Ontario) et Moncton (Nouveau-Brunswick). Ces CFSM, bien qu'elles soient issues de la matrice de la grande nation non étatique canadienne-française, présentent des configurations sociétales très différenciées.

L'Acadie du Nouveau-Brunswick est sans doute la francophonie minoritaire la plus enracinée historiquement. En tant que minorité nationale, elle représente, selon le recensement canadien de 2016, une population de 234 005 habitants (31 % de la population de la province

travailleurs et employeurs capitalistes, il faut retenir que la cohésion sociale ne peut pas être réalisée par des individus ou des collectifs atomisés, mais par des institutions (État, familles, associations, etc.).

du Nouveau-Brunswick; Statistique Canada, 2017a). Quant aux immigrants francophones, ils ne représentent que 3 % de la population francophone néo-brunswickoise[6]. Les francophones de l'Ontario constituent la plus grande CFSM au pays (550 600 personnes, 4,1 % de la population provinciale; Statistique Canada, 2017b). En raison notamment de l'attractivité de la ville de Toronto, les immigrants d'expression française représentent 17 % de la population francophone de la province[7]. Au Manitoba, les francophones sont au nombre de 40 975 (3,2 % de la population provinciale; Statistique Canada, 2017c). Les immigrants francophones représentent 11 % de la population franco-manitobaine[8]. En Colombie-Britannique, les francophones sont au nombre de 64 325 (1 % de la population provinciale; Statistique Canada, 2017d) et les immigrants d'expression française représentent une proportion notable de 28 % de la population francophone[9].

Nous avons donc formé neuf groupes de discussion avec, au total, soixante-sept participants. Dans le Grand Vancouver, quinze personnes (cinq hommes et dix femmes) ont pris part à deux groupes de discussion. Trois groupes de discussion à Winnipeg ont rassemblé dix-huit participants (dix hommes, six femmes et deux personnes de genre autre). À Ottawa, dix-huit participants (huit hommes, neuf femmes et une personne de genre autre) ont assisté à deux groupes de discussion et à Moncton, seize personnes (onze hommes et cinq femmes) ont participé à deux groupes de discussion. Pour assurer une diversité de points de vue, nous avons réuni dans les mêmes groupes de discussion divers membres de la communauté. Parmi les soixante-sept participants, dix-sept étaient nés au Canada et les cinquante autres étaient nés dans des pays aussi divers que la France, l'Algérie, le Sénégal, le Niger, etc. Parmi ces derniers, certains étaient arrivés récemment, alors que d'autres étaient installés depuis longtemps et détenaient la citoyenneté canadienne.

6. https://www.clo-ocol.gc.ca/fr/statistiques/infographiques/presence-francaise-au-nouveau-brunswick
7. https://www.clo-ocol.gc.ca/fr/statistiques/infographiques/presence-francophone-ontario
8. https://www.clo-ocol.gc.ca/fr/statistiques/infographiques/presence-francaise-manitoba
9. https://www.clo-ocol.gc.ca/fr/statistiques/infographiques/presence-francophone-colombie-britannique

Les groupes de discussion avaient pour objectif d'explorer la thématique de la cohésion sociale du point de vue des participants. Le même guide a été utilisé pour mener les entretiens dans les quatre francophonies minoritaires. Il comportait des questions sur l'importance de la langue française dans la décision des participants de vivre dans une CFSM, les espaces communautaires importants pour eux, leur sentiment d'appartenance à leur CFSM, les obstacles à leur participation sociale et à leur engagement dans leur CFSM, les organisations qui pourraient jouer un rôle dans la cohésion sociale au sein de leur CFSM et les facteurs qui pourraient améliorer la cohésion sociale dans leur CFSM.

Une fois les discussions transcrites intégralement, nous avons d'abord lu les textes et avons créé des tableaux d'analyse de sorte à synthétiser les données pour chaque thème. Ayant utilisé le même outil de collecte de données, les thèmes retrouvés dans les quatre francophonies minoritaires étaient semblables. Les plus importants étaient les suivants : les facteurs attrayants dans leur CFSM, le sentiment d'appartenance à leur CFSM, les obstacles à leur participation sociale, les facteurs facilitant la cohésion sociale dans leur CFSM et les recommandations pour améliorer la cohésion sociale. Durant l'analyse des données, nous avons illustré chaque thème par des propos particulièrement révélateurs de certains participants. Par exemple, quoi de plus fort que de décrire l'existence de frontières ethnoraciales dans les CFSM que l'image de la « tranche napolitaine ». Les propos des participants choisis dans cet article constituent ainsi des illustrations de thématiques qui ont émergé lors de l'analyse des données.

En couvrant quatre francophonies minoritaires, cet article s'inscrit dans une perspective contrastée. En ce sens, il ne vise pas à comparer systématiquement les francophonies minoritaires dans leurs rapports différenciés à la diversité, puisque chacune possède sa propre configuration sociétale, mais à dégager des tendances convergentes face aux défis de la cohésion sociale dans un contexte de diversité ethnoculturelle. De tels défis transparaissent largement dans les griefs exprimés par les immigrants d'expression française qui, en plus de leur pragmatisme, semblent avoir des modes de vie transnationaux et ne sont pas prêts à faire société en français de manière inconditionnelle.

Trois thématiques découlant de nos résultats

Si le recours à la déduction et aux tendances lourdes de la recherche en sociologie a permis de mettre en lumière un potentiel d'ouverture à la diversité et à la cohésion sociale plus important dans les collectivités civiques que dans les collectivités ethniques, le recours à l'induction a permis de mettre en évidence les apories de la cohésion sociale dans les CFSM. De telles apories découlent de liens assez inattendus, mais logiques dans leurs conséquences entre la prédominance de la tendance ethnique des CFSM, leur incomplétude institutionnelle en matière d'immigration et les caractéristiques transnationales et pragmatiques des immigrants qui s'y établissent.

Du groupement nationalitaire ethnique au groupement nationalitaire contractuel : un examen de passage

Les CFSM sont « les restes de la nation canadienne-française » (Cardinal, 2003) qui a éclaté avec l'émergence du nationalisme québécois dans les années 1960 (Martel, 1997). Contraintes de vivre et d'évoluer dans des réalités provinciales anglo-dominantes différentes, elles sont devenues des minorités francophones ou des communautés de langue officielle en situation minoritaire (Thériault, 1999). Sans État et sans territoire clairement délimité, ce qui leur aurait permis d'exprimer leur historicité et de viser une plus grande complétude institutionnelle, elles ont principalement surmonté le double défi de l'anglicisation et de l'assimilation en misant sur leurs caractéristiques héritées de la défunte nation canadienne-française : la religion catholique et le clergé comme institution centrale, la langue française, la ruralité, la « blanchitude » et la centralité des dynamiques familiales dans les interactions et les rapports sociaux (Frenette, 1998 ; Thériault, 1995). Plus spécifiquement, les CFSM ont renforcé leur statut de groupements nationalitaires en ayant recours à une forme de nationalisme institutionnel qui visait initialement la gestion des institutions éducatives, mais qui s'est transformé afin de mettre en place un réseau associatif dense couvrant pratiquement tous les domaines de la vie jugés pertinents : réseaux de femmes francophones, réseaux de jeunes francophones, réseaux d'artistes francophones, réseaux des municipalités francophones, etc. (Farmer, 1996 ; Cardinal et Forgues, 2015). Ces éléments de cohésion sociale rapprochent donc les CFSM du statut de groupements nationalitaires ethniques[10].

Durant les années 1990 et au début des années 2000, devant des constats démographiques alarmants et préoccupées par leur survie dans un contexte où très peu d'immigrants parlaient et/ou apprenaient le français à l'extérieur du Québec, les CFSM ont formulé une nouvelle revendication : elles voulaient leur part d'immigrants (Farmer, 2008). Cette revendication a été judiciarisée dans la Partie VII de la Loi sur les langues officielles, qui exige que le gouvernement prenne des mesures positives en vue de favoriser l'épanouissement des CFSM et, plus particulièrement, par l'entrée en vigueur d'une nouvelle Loi sur l'immigration et la protection des réfugiés en 2002, qui comprend des mesures visant le développement des CFSM. À la différence du nationalisme institutionnel qui, lui, a eu tendance à renforcer le caractère ethnique des collectivités francophones, le projet de l'immigration francophone, qui comprend le recrutement, l'accueil, l'intégration et la rétention de nouveaux arrivants souvent racialisés, semble nécessiter une déséthnicisation des rapports sociaux dans les CFSM. En effet, comment accueillir et surtout intégrer l'Autre en demeurant des collectivités ethniques ? Ou comment assurer une cohésion sociale au sein de CFSM devenues des communautés d'accueil ?

Les CFSM sont désormais placées devant l'aporie suivante : elles doivent devenir inclusives tout en ne perdant pas les spécificités qui leur ont permis de survivre dans des provinces majoritairement anglophones. Les CFSM ne sont pourtant pas dépourvues d'une volonté de transformation qui ferait d'elles des collectivités contractuelles en concordance avec leur statut de communautés d'accueil de la diversité ethnoculturelle. Regroupés au sein de la FCFA, les organismes porte-paroles des CSFM ont développé des discours progressistes sur l'immigration francophone, perçue comme un moyen de renforcer la vitalité de leurs collectivités et comme une ressource pour atténuer le déséquilibre démographique en faveur de l'anglophonie dominante (FCFA, 2019). Plusieurs de ces organismes ont procédé à un changement de nom afin de se rendre plus

10. Joseph Yvon Thériault (1995) parle de minorités nationales ou de groupements nationalitaires. Toutefois, selon lui, leurs revendications particularistes et la judiciarisation de leurs enjeux les rapprochent de plus en plus du statut de groupes ethniques.

inclusifs et d'indiquer qu'au-delà de la diversité de leurs origines ethno-religieuses, il serait désormais possible pour les francophones et les francophiles de faire société en français. Ainsi, la Société des Acadiens et des Acadiennes du Nouveau-Brunswick est devenue la Société de l'Acadie du Nouveau-Brunswick, tandis que la Société franco-manitobaine est devenue la Société de la francophonie manitobaine.

Des recherches ont montré que les CFSM peinent à devenir des collectivités contractuelles dans le court terme, faute d'une transformation de leurs identités collectives et de leurs attitudes face à la diversité, et qu'elles se réfugient plutôt dans une ouverture symbolique tout en maintenant des frontières ethniques rigides entre leurs membres et leurs immigrants (Gallant et Belkhodja, 2005). Une telle stratégie met logiquement leur cohésion sociale et leur statut de communautés d'accueil à rude épreuve. Les immigrants en sont conscients. Aussi, l'un d'eux, résidant à Moncton, fait le constat suivant:

> [...] Toutes les institutions en tant que telles, que ça soit l'école, les institutions comme l'Université, la SANB [Société de l'Acadie du Nouveau-Brunswick], la SNA [Société nationale de l'Acadie], que ça soit le CCNB [Collège communautaire du Nouveau-Brunswick]. Je dirais qu'il y a beaucoup de travail à faire parce que ce sont encore des institutions qui travaillent pour l'intérêt des Acadiens en tant que tel, mais pas pour les néo-canadiens ou la nouvelle Acadie. C'est encore l'Acadie ancienne où la représentation internationale n'est pas nécessairement très impliquée. (Groupe de discussion 2, Moncton)

Cet immigrant de la région d'Ottawa abonde dans ce sens:

> [...] Il y a deux francophonies. Il y en a deux qu'on le veuille ou non, la francophonie qui appartient aux propriétaires francophones et la francophonie des clients de la francophonie. Nous sommes traités comme des clients. Nous ne sommes pas traités comme faisant partie de cette francophonie-là. Et donc, c'est ça qui fait que, pour moi, la question est fondamentale: comment créer cette cohésion, est-ce qu'ils sont prêts à céder du pouvoir, à partager du pouvoir, est-ce qu'ils sont prêts à appuyer des initiatives? C'est ça le défi. (Groupe de discussion 1, Ottawa)

Les propos de ce participant d'Ottawa sont largement partagés par des immigrants des autres CFSM. Une immigrante de Moncton considère qu'il y a coexistence de plusieurs francophonies en Acadie, ce qui en fait une « tranche napolitaine »:

> Dans ma vie quotidienne, la francophonie est assez peu présente. J'ai quelques interactions, par jour, en français auprès de prestataires de services, en

> particulier, comme la garderie, ou peut-être les amis, les parents d'amis de mes enfants, mais ça s'arrête là. Alors, je n'en connais pas la vitalité et l'étendue [...]. Je sais qu'elles sont là, mais je ne pourrais pas bien les décrire. Parce que, dans ma réalité, la francophonie acadienne est assez peu présente. [...] on dirait que c'est une *tranche napolitaine*, cette francophonie. Il y a des couches de différentes francophonies et, finalement, on ne mélange jamais les produits ensemble. (Groupe de discussion 1, Moncton)

Le passage d'un groupement nationalitaire ethnique à un groupement nationalitaire contractuel ne va pas de soi. En effet, il semble nécessiter un processus de destruction créatrice qui impliquerait l'abandon du modèle actuel de cohésion sociale et le développement d'un nouveau modèle fondé sur la cohésion sociale volontariste et contractuelle dans le contexte d'une diversité ethnoculturelle. Un immigrant de Winnipeg l'exprime par une métaphore pertinente :

> [...] Quand on a une communauté qui est vouée à aller dans le changement, avant de trouver une cohésion, il faut d'abord briser les liens de cohésion qui sont déjà existants pour permettre aux nouveaux éléments d'entrer. [...] Donc, [...] il faut abolir quelques murs, et puis il reste des portes [...]. Déjà, ça permet de reconstruire quelque chose de nouveau et il est là le défi. C'est ça qui entraîne la crainte du changement. [...] Comment, sans tout détruire, sans tout jeter à terre, comment on peut remodeler l'espace intérieur de la communauté ? (Groupe de discussion 1, Winnipeg)

Les propos de ce participant montrent combien la transition vers des collectivités contractuelles représente un défi de taille pour les CFSM. Comment s'ouvrir à la diversité ethnoculturelle en gardant sa particularité en tant que groupe minoritaire ?

Cette question aurait pu être résolue par la francophonie britanno-colombienne puisqu'elle est historiquement moins enracinée, territorialisée et visible et plus cosmopolite et diversifiée du point de vue ethnoculturel que la francophonie acadienne ou ontarienne. Mais selon les résultats issus de nos groupes de discussion, ce ne serait pas le cas. Il semble y exister des frontières ethniques entraînant l'existence d'une francophonie locale segmentée : « Moi, je suis venu seulement l'année passée. Quand je regarde à l'école, même si tout le monde est francophone, les gens ils se tiennent souvent ensemble par préférence ethnique » (groupe de discussion 1, Vancouver). Il faut préciser que cette segmentation est verticale. Une hiérarchie semble se dessiner entre groupes francophones selon les accents. Grâce, notamment, aux travaux des sociolinguistes (Boudreau, 2019 ; Arrighi et Boudreau, 2013), nous savons que les francophones des « périphéries » ont des accents jugés moins légitimes que ceux de la France, considérés comme parlant le français « légitime » ou « standard ». Derrière la hiérarchie des accents se profile aussi une hiérarchie de races :

> [...] Je pense qu'il y a un problème entre le français québécois, le français de France, et le français de l'île Maurice, le français du Maroc, du Cameroun, donc je pense qu'il faut pouvoir respecter tout le monde dans leur originalité. [...] Les gens, ils se sentent agressés dans certains milieux de par leur français parce qu'ils ne sont pas supposément aux normes, mais quelles normes ? On ne sait pas. (Groupe de discussion 1, Vancouver)

Il faut préciser que, selon les propos tenus par des participants aux groupes de discussion, la tendance des immigrants francophones à se regrouper en nationalités est forte en Colombie-Britannique. Les propos de cette immigrante en fournissent un témoignage éclairant :

> Moi, j'ai eu une expérience [...] pendant une fête du 14 juillet à Vancouver [...]. Il y avait beaucoup de Français [...]. J'étais avec des amis belges, donc francophones qui ont un petit accent, et certains Français leur ont fait comprendre que ce n'était pas leur fête, qu'ils n'étaient pas les bienvenus. J'étais très surprise parce que tout le monde peut venir, c'est une fête [...]. Je crois que nous nous diversifions, mais cette diversification dérange certaines personnes. (Groupe de discussion 1, Vancouver)

Selon nous, l'idée d'un nouveau modèle de cohésion sociale issu d'un processus de destruction créatrice mérite une attention particulière. En effet, si, tel que l'a évoqué plus haut un de nos participants, « il faut d'abord briser les liens de cohésion qui sont déjà existants pour permettre aux nouveaux éléments d'entrer », cela signifie que des principes de base de la cohésion sociale doivent être remis en question et pensés autrement. Une telle remise en question pourrait déboucher sur la mise en place d'un nouveau contrat social dont l'un des principaux objectifs serait de ne pas replonger les nouveaux arrivants dans de nouvelles formes d'oppression qui les maintiendraient dans le statut d'Autres.

Incomplétude institutionnelle des CFSM en matière d'immigration

La nécessité de réaliser une transition sociétale vers des collectivités contractuelles plus inclusives de la diversité ethnoculturelle tout en préservant leurs identités collectives n'est pas la seule aporie à laquelle font face les CFSM. Des recherches mettent également en évidence le fait que la cohésion sociale ne peut être atteinte par un collectif d'individus atomisés. D'où l'importance de la mise en place d'institutions intégratrices (Durkheim, 1983). Or les CFSM doivent composer avec une situation d'incomplétude institutionnelle pluridimensionnelle[11], laquelle représente une autre aporie dans l'atteinte de la cohésion sociale dans un contexte de diversité.

Incomplétude institutionnelle linguistique

Sur le plan linguistique, l'incomplétude institutionnelle se manifeste par des services ou des programmes inexistants ou moindres en français, par exemple dans le domaine de l'éducation postsecondaire (Huot *et al.*, 2020), mais surtout par la quasi-nécessité de maîtriser l'anglais pour interagir sur une base quotidienne dans la société canadienne. Le bilinguisme asymétrique canadien est perçu par la majorité des immigrants francophones. Par ailleurs, ces derniers vivent sur une « planète migratoire mondialisée » (Simon, 2008) où l'anglais est considéré comme un capital culturel indispensable à leur mobilité spatiale et socioprofessionnelle (Huot, Cao *et al.*, 2020 ; Huot *et al.*, 2020). Les immigrants savent que, dans les faits, les anglophones disposent d'une culture sociétale[12], ce qui n'est pas le cas des francophonies minoritaires au sein desquelles ils sont appelés à s'intégrer. Ils savent que, dans les CFSM, ils ne peuvent pas parler français dans toutes les sphères de leur existence quotidienne et que l'apprentissage de l'anglais est à leur avantage, notamment parce qu'ils auront plus de chances de réussir sur les plans économique et social (Veronis et Huot, 2017).

Par ailleurs, certains immigrants pensent que des membres de leur communauté d'accueil ont honte de parler français, qui est pourtant leur langue maternelle :

11. Dans cette étude, la notion d'institution désigne des organisations dirigées par la minorité, mais aussi des pratiques sociales instituées comme la langue.

12. Nous employons la notion de culture sociétale dans le sens de Will Kymlicka, qui la définit comme une « [...] culture qui offre à ses membres des modes de vie porteurs de sens, qui modulent l'ensemble des activités humaines, au niveau de la société, de l'éducation, de la religion, des loisirs et de la vie économique, dans les sphères publique et privée. Ces cultures tendent à être territorialement concentrées et fondées sur une communauté linguistique » (Kymlicka, 2001 : 115). Le nord du Nouveau-Brunswick et l'Est ontarien se rapprocheraient davantage d'une culture sociétale que les autres CFSM.

> [...] C'est vrai que la communauté francophone de souche est minoritaire. [...] Je ne sais pas si c'est la honte. Ils ont honte de leur langue. Ils ont honte de leur culture, donc c'est vrai que tu rencontres des jeunes, tu ne sais pas si ce sont vraiment des francophones parce qu'ils ne sont pas fiers d'être francophones à cause de leur histoire. On ne peut pas les blâmer pour ça. [...]. Donc, il faut d'abord qu'ils règlent leur histoire, qu'ils soient fiers de leur culture pour qu'ils nous accueillent nous aussi les francophones. S'ils ne sont pas fiers de leur culture, comment est-ce qu'ils vont nous intégrer dans leur culture? (Groupe de discussion 2, Moncton)

À ce manque de fierté francophone constaté chez beaucoup de membres des CFSM s'ajoute le fait que la plupart des immigrants ont un rapport instrumental avec les deux langues « officielles » et les considèrent comme des capitaux culturels. Une telle attitude s'explique soit par la conscience d'avoir acquis le français (ce qui est le cas des Français ou des Belges), soit par le fait que le français est considéré comme la langue du colonisateur et n'est que la troisième, voire la quatrième langue de beaucoup d'immigrants en provenance d'anciennes colonies (Burkina Faso, Sénégal, République démocratique du Congo, etc.).

En conséquence, ils développent souvent des stratégies d'acquisition de l'anglais. À l'évidence, de telles stratégies pourraient ralentir, voire empêcher l'atteinte d'une cohésion sociale dans les CFSM où faire société en français est l'argument principal en faveur de l'accueil et de l'intégration d'immigrants francophones. Certains immigrants de longue date en sont conscients. Les propos d'une autre immigrante de Moncton, originaire d'Afrique de l'Ouest et très attachée à la francophonie, vont dans le même sens :

> Je pense que, si on va chercher, disons des immigrants francophones parce qu'on veut que Moncton soit plus représenté côté francophonie, ces gens-là arrivent, puis prennent la décision d'envoyer leurs enfants dans des écoles anglophones. Moi, personnellement ma lecture de ça, je me dis il y a quelque chose qui ne va pas. Ils devraient amener les enfants à l'école francophone parce que c'est ça le but. (Groupe de discussion 2, Moncton)

Pour un immigrant d'Ottawa, certains immigrants francophones et principalement leurs enfants ont tendance à délaisser le français au profit de l'anglais parce que la francophonie locale minoritaire, en voulant tout diriger, ne crée pas des espaces d'intégration pour les nouveaux arrivants :

> [...] le défi que nous avons comme immigrants, c'est que les organismes francophones hors Québec doivent comprendre qu'ils doivent céder de la place. Il y a trop une concentration de ressources et d'initiatives seulement en leur sein

> [...]. Donc en cédant de la place aux immigrants, ça va élargir notre francophonie, ça va créer d'autres horizons à notre francophonie, ça va permettre [...] aux nouveaux arrivants de prendre leur place. [...] l'immigration aujourd'hui, on ne voit pas les fruits des montants faramineux qui sont investis, les immigrants sont mis de côté. Dans les écoles, malgré la présence massive de nos enfants, nos professionnels enseignants ne sont pas pris, nos enfants n'ont pas de modèles. Alors, est-ce que ces enfants-là vont s'intéresser à la francophonie demain? Les nouveaux arrivants s'intéressent parce qu'ils n'ont pas de choix, parce qu'ils sont attachés à la langue, mais nos enfants s'épanouissent, j'en ai quatre et deux sont à l'Université de Carleton et ne veulent rien savoir de l'Université d'Ottawa [...]. (Groupe de discussion 1, Ottawa)

À Vancouver, le français semble être classé loin derrière l'anglais et des langues comme le chinois ou le pendjabi. Pour cet immigrant, une telle situation ne favorise pas la cohésion sociale au sein de cette CFSM:

> [...] pour mes enfants, il n'y a aucune motivation à apprendre le français. Ils sont beaucoup plus motivés à apprendre le mandarin, le pendjabi, parce qu'ils l'entendent tous les jours, et même si on parle un peu à la maison, puis si on a les subventions du gouvernement pour les programmes, ils ne sont pas entourés de français, de la langue française, donc oui, ça freine la cohésion sociale. (Groupe de discussion 1, Vancouver)

Incomplétude institutionnelle économique

Si, chez la plupart des immigrants, l'anglais a une valeur supérieure au français dans le champ linguistique canadien, cela est dû en grande partie à l'exiguïté du marché du travail en français. Mis à part des secteurs comme l'éducation et la santé, le marché du travail où le français est prédominant est quasi inexistant. Les immigrants francophones le savent et le disent: la maîtrise de l'anglais est la clé d'une intégration économique réussie (FCFA, 2004). Or, sans l'intégration économique, l'intégration sociale et culturelle à leur nouvelle communauté d'accueil semble difficile[13]. En résumé, le message envoyé aux immigrants francophones hors Québec est le suivant: en tant que francophones, vous devez vivre

13. Généralement, les chercheurs, en simplifiant le schéma de Milton Gordon (1964), relèvent trois dimensions dans l'intégration des immigrants: l'intégration économique, l'intégration sociale et l'intégration culturelle. L'intégration économique semble être la condition de l'intégration sociale et culturelle.

en français et vous intégrer dans les CFSM, mais vous devez maîtriser l'anglais pour accéder à un emploi[14].

Ce fait est tellement évident que des organismes d'accueil et d'établissement francophones participent à des programmes de formation des immigrants en anglais. C'est le cas du Centre d'accueil et d'accompagnement francophone des immigrants du sud-est du Nouveau-Brunswick (CAFI), par exemple. Vu l'exiguïté du marché du travail en français dans les CFSM (Sall et Boubacar, 2018), comment faire société en français si on ne peut pas travailler dans cette langue ? Les propos de cet immigrant de Vancouver illustrent bien la quasi-nécessité de maîtriser l'anglais pour avoir accès à un emploi :

> [...] Pour s'intégrer, pour donner à manger à la famille, il faut passer de l'autre bord nous dirons, il faut travailler avec les Anglais, travailler en anglais. Moi, quand je suis venu, je ne parlais pas un mot d'anglais, j'étais bûcheron sur l'île de Vancouver parce que c'était facile, puisque c'était facile à comprendre ce qu'il fallait faire. [...] C'est comme ça que j'ai nourri ma famille, parce qu'en restant avec les francophones, il n'y avait pas de travail. On ne savait pas quoi faire. (Groupe de discussion 1, Vancouver)

Étant donné l'exiguïté du marché du travail en français et la rareté des emplois de qualité[15], un rapport social entre immigrants et francophones de souche se constitue autour du travail. En conséquence, les discriminations à l'emploi sont omniprésentes. À Moncton, des immigrants enseignants déplorent le refus des écoles primaires et secondaires francophones de les recruter (Sall et Boubacar, 2018). En Colombie-Britannique, Ghizlane Laghzaoui (2011) montre que les immigrants enseignants francophones et racisés sont victimes de discrimination à l'embauche. Ce fait est d'autant plus paradoxal que plusieurs conseils scolaires francophones au pays enregistrent un manque d'enseignants.

Au Nouveau-Brunswick, nous savons que les immigrants enseignants sont recrutés par le district anglophone pour œuvrer en immersion française (Sall et Boubacar, 2018). Une participante enseignante, qui a dû expliquer « comment elle compt [ait] enseigner la culture acadienne

14. Même pour ceux qui décrochent un emploi en français, le bilinguisme est souvent nécessaire pour accéder aux possibilités de développement professionnel, etc.

15. Par emploi de qualité, nous entendons des emplois qui correspondent aux qualifications des immigrants, qui sont bien rémunérés et qui offrent des protections sociales (retraites, avantages sociaux, assurances, etc.).

aux élèves » lors d'une entrevue d'embauche qui n'a pas été couronnée de succès, témoigne :

> Une institution qui n'est pas très ouverte, c'est par exemple le district scolaire francophone. La diversité n'est quasiment pas représentée. Je comprends pourquoi. Je comprends intellectuellement pourquoi, mais il faudrait si on est là en renfort parce que c'est bien ça, en fait. Pour la francophonie, nous sommes un renfort, non pas des conquérants. [...] je ne dis pas que tout le monde doit venir en conquérant revendiquer des postes importants, mais qu'on ait au moins la chance dans certaines institutions. Il y a des emplois qui sont enviables. On ne va pas se mentir, il y a des emplois qui sont plus enviables que d'autres, qui sont peut-être plus valorisants, mieux payés. Ce serait bien de tendre la main. (Groupe de discussion 1, Moncton)

Il faut préciser que l'exclusion des immigrants enseignants semble généralisée dans les CFSM étudiées : « Dans les écoles, malgré la présence massive de nos enfants, nos professionnels enseignants ne sont pas pris, nos enfants n'ont pas de modèles. Alors, est-ce que ces enfants-là vont s'intéresser à la francophonie demain ? » (Un immigrant, groupe de discussion 1, Ottawa)

Faute d'une véritable participation sociale par le travail, les CFSM peinent à construire un nouveau modèle de cohésion sociale approprié et conforme à leur statut de communautés d'accueil d'immigrants. Il faut noter que, pour les immigrants, la citoyenneté sociale que procure l'obtention d'un emploi de qualité conforme à leurs compétences et à leurs domaines de formation est de loin plus importante que la défense de la langue française ou l'injonction de faire société en français au sein de leur CFSM. Cela d'autant plus que, pour la plupart des nouveaux arrivants originaires d'Afrique du Nord ou d'Afrique subsaharienne, le français ne fait pas partie de leur identité profonde. Elle est une langue perçue comme imposée par l'ancien colonisateur et un simple moyen d'avoir un emploi permettant de s'assurer une mobilité sociale ascendante, comme l'exprime cette immigrante : « Je suis fière d'être malienne, mais je ne suis pas nécessairement fière de parler la langue qui m'a été imposée par le colonisateur [...] Pour moi, la langue française est un moyen pour avoir un statut social » (groupe de discussion 3, Winnipeg).

Incomplétude institutionnelle politique[16]

Une comparaison entre le Québec et les CFSM permet de faire ressortir la dimension politique de l'incomplétude institutionnelle des CFSM en matière d'immigration. Dans leurs discours, les CFSM disent vouloir faire société en français avec les immigrants. Toutefois, elles ne disposent pas des leviers politiques permettant l'adoption de l'équivalent d'une loi 101 qui contraindrait les immigrants et leurs enfants à fréquenter leurs écoles et leurs institutions. De fait, les politiques d'immigration les présentent comme des communautés d'accueil, mais le régime politique canadien ne leur donne pas les institutions et les pouvoirs politiques de véritables communautés d'accueil. Sans pouvoir exercer de contraintes juridiques sur les immigrants, elles ne peuvent compter que sur la persuasion et sur des incitatifs pour amener les immigrants à choisir le français. Nous savons que l'argument souvent déployé est le suivant : il serait plus utile pour les immigrants d'inscrire leurs enfants à l'école francophone puisque, de toute façon, ces derniers maîtriseront facilement l'anglais, qui est présent dans toutes les sphères de la vie quotidienne. Un tel argument ne séduit une catégorie d'immigrants qu'en dépouillant la langue de sa dimension identitaire et en en faisant un capital culturel comme un autre.

Faute d'un transfert de pouvoirs en matière de gestion de l'immigration et dans d'autres domaines, les CFSM peuvent inventer un modèle de cohésion sociale dans le contexte de la diversité, mais elles n'ont pas les moyens de le concrétiser sur le terrain. Autrement dit, il serait impensable qu'elles recourent à l'assimilation, au *melting pot* américain ou à l'interculturalisme québécois comme modèle d'intégration et de cohésion sociale, car elles n'en ont pas les pouvoirs juridico-politiques. Tout

16. Cette section s'inspire de Iacovino et de Léger (2013). Pour ces deux auteurs qui puisent leurs analyses dans des recherches documentaires et principalement juridiques, les CFSM ne constituent pas de véritables communautés d'accueil parce qu'elles ne disposent pas de pouvoir d'agir et d'autonomie politique en matière de sélection d'immigrants, ce qui les cantonne dans un rôle promotionnel visant à attirer les immigrants francophones et les groupes de pression. D'autre part, elles ne disposent pas de pouvoirs juridiques leur permettant d'obliger les nouveaux arrivants à s'intégrer à leur culture et à s'intégrer en français. Pour Iacovino et Léger (2013), les CFSM ne peuvent pas constituer des cultures de convergence et d'intégration d'immigrants, à la différence de l'interculturalisme québécois ou encore du multiculturalisme canadien.

au plus, peuvent-elles recourir à la persuasion ou à l'amour du français pour développer un sentiment d'appartenance chez les immigrants et les faire adhérer à leur combat pour le renforcement de la dualité et le respect de leurs droits linguistiques. Les immigrants francophones ont ainsi le droit d'inscrire leurs enfants à l'école anglophone ou de la fréquenter eux-mêmes, voire de faire société avec l'anglophonie dominante, sans que les CFSM puissent les en empêcher par l'évocation d'un droit collectif de protection du français.

Des immigrants transnationaux et pragmatiques

Les apories de la cohésion sociale ne sont pas seulement dues aux caractéristiques sociétales des CFSM, qui demeurent des collectivités ethniques caractérisées par une incomplétude institutionnelle pluridimensionnelle en matière d'immigration. L'accueil d'immigrants pragmatiques évoluant désormais dans des espaces transnationaux est un autre défi à la cohésion sociale.

Des immigrants transnationaux

C'est un fait connu, en raison des liens forts qu'ils entretiennent avec leurs pays d'origine, les immigrants du XXIe siècle sont différents des migrants précédents. Ces derniers gardaient des contacts avec leurs pays d'origine, mais pas de manière aussi soutenue et quotidienne que les immigrants de la fin du XXe siècle et du XXIe siècle. Désormais, nous avons affaire à des immigrants transnationaux dont les espaces d'appartenance sont pluriels et distants (Madibbo, 2018). Leurs aspirations à s'intégrer dans leur communauté d'accueil ne les empêchent pas de maintenir, voire de développer des liens transnationaux très forts avec leurs compatriotes au pays.

Ces liens transnationaux s'expriment de plusieurs façons : envois d'argent, de cadeaux, allers-retours assez réguliers, implications politiques au pays, investissements économiques dans le pays d'origine, communications régulières avec des membres de la famille, etc. Ces communications avec les compatriotes et la famille restés au pays sont facilitées par le développement des technologies de communication ainsi que leur gratuité (auparavant, il fallait acheter des cartes téléphoniques, mais maintenant, ce n'est plus le cas avec WhatsApp, Viber, Zoom, Skype, Teams, etc.). Comment susciter un sentiment d'appartenance et développer la cohésion sociale avec des immigrants transnationaux, qui souvent, se rendant compte de l'exiguïté sociospatiale des CFSM, les considèrent comme des « boîtes » et ne veulent pas limiter leur appartenance à ces dernières (Veronis et Huot, 2019[17]) ?

Une Acadienne spécialisée dans l'intégration des étudiants internationaux sur le campus de Moncton nous confiait qu'elle avait du mal à amener les étudiants internationaux à participer à des activités de réseautage puisque ces derniers préfèrent passer leur temps à communiquer avec leur famille et leurs amis restés au pays. Les propos d'une participante installée à Winnipeg depuis longtemps montrent clairement les liens entre le mode de vie transnational intense de beaucoup d'immigrants et la difficulté de susciter leur participation et leur intégration, ce qui favoriserait la cohésion sociale dans les CFSM :

> [...] Il me semble que nous, on s'intégrait par la force des choses parce que, si on voulait téléphoner à la maison, ça coûtait une fortune. On pouvait appeler cinq minutes, pas plus. [...]. On pouvait écrire, c'est vrai qu'il y avait le courrier deux fois par jour et même le samedi. [...] Mais on n'avait pas l'internet, on n'avait pas Facebook [...]. J'ai une de mes amies qui vient du Soudan [...]. Elle a son écran d'ordinateur et elle parle à sa mère tout le temps, toute la journée. Comment peut-elle s'intégrer ? Je ne sais pas, je lui ai souvent dit : « Fais pas ça, fais pas ça. » Mais d'un autre côté, elle a besoin de sa mère. C'est son espace à elle. (Groupe de discussion 1, Winnipeg)

En nous inspirant de travaux sur le transnationalisme des migrants en Europe (Fibbi et D'Amato, 2008), nous savons que les immigrants ont développé trois catégories de pratiques transnationales. Il y a d'abord les pratiques limitées à la sphère familiale, qui sont les plus courantes et les plus évidentes. Les immigrants ont également des pratiques d'engagement

17. Pour plus de détails sur les liens entre les modes de vie transnationaux des immigrants africains francophones et leur intégration dans la CFSM albertaine, nous renvoyons le lecteur à Madibbo (2018). En résumé, cette auteure défend la thèse selon laquelle l'immigration transnationale a des effets positifs sur l'intégration des immigrants puisqu'elle leur permet d'avoir du soutien psychologique et moral face à leur marginalisation dans leur communauté d'accueil et de développer des pratiques économiques transnationales comme l'entrepreneuriat. Toutefois, en s'inspirant de certains auteurs comme Huntington (2004), elle reconnaît que certaines activités transnationales peuvent nuire à leur intégration et à la cohésion sociale de leur communauté d'accueil puisqu'elles peuvent favoriser la radicalisation et entretenir l'hostilité de certains immigrants à l'égard de cette communauté.

civique envers leur pays d'origine par l'intermédiaire d'associations transnationales œuvrant pour le développement de leur localité d'origine. Enfin, il existe aussi un transnationalisme politique de plus en plus visible : vote lors d'élections au pays, intérêt pour la vie politique de leur pays d'origine par la recherche d'informations sur le sujet, l'organisation de manifestations festives ou de protestation, etc.

Il faut souligner que ce ne sont pas seulement les immigrants qui adoptent des modes de vie transnationaux. De fait, le transnationalisme de ces derniers est renforcé par certains États, qui sont devenus des États transnationaux dans la mesure où ils ont compris que leurs ressortissants à l'étranger sont des acteurs importants pour développer des projets, procéder à des investissements, mais aussi pour gagner des élections, etc. Les réseaux transnationaux d'immigrants ainsi que le sentiment d'appartenance à leur pays d'origine sont si puissants que le paradigme transnational se substitue de plus en plus au paradigme de l'intégration dans l'étude des dynamiques migratoires (Lacroix, 2018).

S'intégrer et participer aux activités organisées par sa communauté d'accueil nécessite du temps et de l'énergie pour les nouveaux arrivants. Or ce temps et cette énergie peuvent bien manquer en raison du budget-temps limité par le travail et les contacts fréquents et soutenus avec le pays d'origine. Les nouveaux arrivants francophones ne sont plus obligés de s'intégrer aux CFSM en raison de la facilité à établir des contacts avec leur pays d'origine. Internet et les moyens de communication efficaces et gratuits leur permettent de circuler symboliquement entre des espaces distants sans prendre l'avion. La question est de savoir comment les CFSM doivent procéder pour susciter un sentiment d'appartenance et faire société avec de tels immigrants.

En plus de vivre dans des espaces transnationaux au quotidien, certains des nouveaux arrivants se déplacent fréquemment. Ils ont certes besoin d'un enracinement au Canada. Toutefois, ils ont un rapport instrumental à l'espace en fonction des occasions professionnelles et résidentielles qui s'offrent à eux. Ce rapport à l'espace a pour conséquence que, dans certaines CFSM situées en zone rurale ou qui offrent peu de possibilités de développement professionnel, on a du mal à retenir les immigrants, ce qui pose un défi à la cohésion sociale.

> Moi je pense que c'est le fait que les gens viennent ici et ne restent pas nécessairement pour des années et des années, donc ça bouge tellement que, moi,

> les gens que je connaissais, il y a sept ans quand je suis arrivée, qui parlaient français, ne sont pas nécessairement ici encore, pour des raisons qui ne sont pas nécessairement reliées à la francophonie. (Groupe de discussion 2, Vancouver)

Au Nouveau-Brunswick, par exemple, la rétention des immigrants francophones demeure un défi de taille, car il ne reste qu'environ 55 % de ces immigrants au bout de cinq années (Leonard, McDonald et Miah, 2019).

Des immigrants pragmatiques

Indépendamment des liens transnationaux, le caractère pragmatique ou réaliste de plusieurs immigrants constitue une autre aporie de la cohésion sociale dans les CFSM. Les immigrants et même les réfugiés aspirent d'abord à une intégration économique avant tout autre chose ainsi qu'à des services qui répondent aux besoins de leurs communautés doublement, voire parfois triplement minorisées (Madibbo, 2006). Or ils sont conscients de l'exiguïté du marché du travail en français, qui s'accompagne de discrimination et d'un écart entre les services existants et leurs besoins[18]. Cette conscience a favorisé chez beaucoup d'entre eux un certain réalisme, comme en témoignent les propos de cet immigrant :

> Si nous voulons garder nos immigrants comme ils le disent, il va falloir qu'on voie comment les anglophones font pour garder leurs immigrants. Ce n'est pas forcément quelque chose qui prend nécessairement une étude, mais c'est quelque chose qui prend une volonté. [...]. Souvent ce qu'on entend, c'est que rejoignez la gang (la communauté francophone). Je vous rejoins qu'est-ce que je gagne ? Est-ce que ça résout les questions de ma communauté, j'ai des aspirations, ma communauté a des aspirations, est-ce que ça peut régler le problème ? [...]. J'ai des jeunes qui sont en prison qui sont obligés de parler le français. Ces jeunes-là, ce sont des immigrants en grande partie, si c'était des francophones franco-ontariens blancs, il y aurait déjà un dossier pour ça. Donc, il y a des besoins particuliers pour cette communauté. (Groupe de discussion 1, Ottawa)

Une immigrante de Winnipeg déplore l'attitude clientéliste de certains immigrants à l'égard du français et de la communauté francophone. Ces derniers entretiennent un rapport instrumental avec les langues officielles et sont conscients du plus grand profit symbolique de l'anglais comparativement au français. Ils n'hésitent pas à se désengager de la francophonie

18. Souvent, ces services mettent beaucoup l'accent sur l'événementiel et sur des possibilités de bénévolat ou de réseautage qui n'aboutissent pas toujours à l'obtention d'un emploi correspondant aux qualifications et aux compétences des immigrants.

locale pour mettre en place des stratégies d'acquisition de la langue dominante :

> Les immigrants, des fois ne comprennent pas pourquoi on est tellement attaché à la langue, surtout s'ils viennent de France, par exemple. Je vois souvent sur Facebook, je cherche « colocation dans un quartier anglais parce que je veux apprendre l'anglais et en passant je veux aller travailler à un endroit bien francophone ». On ne peut pas les convaincre d'aller habiter ailleurs, eux, Riverheights ou quelque part. Il y a une centaine de Français à Winnipeg qui ne veulent pas s'engager dans la communauté. Ils ne veulent rien savoir. (Groupe de discussion 1, Winnipeg)

De fait, cette attitude clientéliste, voire instrumentale, s'expliquerait à la fois par la fermeture des secteurs du marché du travail en français et par les frontières ethniques entre immigrants et francophones de souche des CFSM. Une telle situation entraîne le choix de l'anglicisation de la part de certains immigrants soucieux d'assurer leur mobilité sociale et celle de leurs enfants :

> Oui, il faut qu'ils acceptent de les accueillir, parce que, oui, moi, j'ai des connaissances [...], ça les a soûlés parce qu'ils n'avaient pas réussi à s'intégrer avec les francophones et ils ont amené leurs enfants chez les anglophones. [...] Pour eux, le français, ce n'est pas terminé, mais c'est presque. Puisqu'ils n'ont pas senti que les francophones les accueillaient, donc, ils rejoignent les anglophones. On les perd parce qu'ils auront leur milieu et leurs amis dans l'autre communauté, de l'autre côté du pont. (Groupe de discussion 3, Winnipeg)

Les propos de cet immigrant de Vancouver sont encore plus directs : « [...] Moi, j'ai rencontré des parents qui m'ont dit : "Ça sert à quoi que j'envoie mes enfants dans une école française ? Parce que c'est quoi son avenir", parce qu'eux-mêmes ils luttent, quelque part c'est très difficile » (groupe de discussion 1, Vancouver). La situation semble identique en Ontario :

> Le même phénomène se produit ici où plusieurs préfèrent s'angliciser pour pouvoir mieux intégrer [...]. Nous sommes exclus de toutes les opportunités en français. On ne peut pas dire qu'il n'y a pas de barrières, nous cheminons pour chercher nous-mêmes nos propres repères et, souvent, ça nous force à aller en dehors de cette francophonie que nous aimons tant. (Groupe de discussion 1, Ottawa)

La nécessité d'aller à l'extérieur de la francophonie pour assurer son intégration économique semble répandue au Manitoba, comme en témoignent les propos de cet universitaire acadien qui vit à Winnipeg :

> Le Canada, sur papier, est un pays bilingue. Mais ils se rendent compte très rapidement qu'à moins d'occuper un poste ici à l'USB [Université Saint-Boniface] ou dans une institution francophone [...] il faut absolument l'anglais aussi. Là, ça devient très difficile de les convaincre de s'investir dans la lutte pour la francophonie alors qu'ils n'ont pas le choix de se mettre à l'anglais pour gagner leur vie. (Groupe de discussion 2, Winnipeg)

Conclusion

Les francophonies minoritaires canadiennes ont acquis le statut juridique et symbolique de communautés d'accueil et souhaitent concrétiser un tel statut par l'accueil et l'intégration d'un nombre important d'immigrants d'expression française. Elles ont surtout perçu l'immigration d'un point de vue instrumental, soit l'ajout de nouveaux locuteurs d'expression française et, dans une moindre mesure, le remplacement de « vieilles mains » dans certains secteurs du marché du travail francophone : foyers de soins, garderies, industries de transformation de fruits de mer, hôtellerie, restauration, centres d'appels, etc.

Toutefois, les CFSM doivent trouver une réponse à la question de leur cohésion sociale dans le contexte de la diversité ethnoculturelle induite par l'accueil de nouveaux arrivants, souvent racisés, en provenance de la francophonie internationale. Elles doivent résoudre l'équation suivante : devenir des collectivités contractuelles tout en préservant leur identité. La résolution d'une telle équation apparaît difficile. Les CFSM font face à une aporie dans la mise en place d'un nouveau modèle de cohésion sociale correspondant à leur statut de communautés d'accueil : elles doivent relever le défi de la désethnicisation et trouver le moyen de devenir des collectivités contractuelles, ce qui implique un processus de destruction créatrice sur le plan des institutions ainsi que des communautés elles-mêmes. Cependant, la mise en place d'un nouveau modèle de cohésion sociale est-il possible compte tenu de l'incomplétude institutionnelle pluridimensionnelle des CFSM ? Malgré leur statut de communautés d'accueil, ces communautés ne disposent pas des institutions politiques et des dispositions juridiques pour mettre en place un modèle tel que le modèle québécois, basé notamment sur la Charte de la langue française et la politique de l'interculturalisme. Enfin, les immigrants contemporains sont de plus en plus transnationaux et pragmatiques, ce qui veut dire qu'ils peuvent se permettre de faire un certain shopping dans un marché migratoire où toutes les provinces et tous les territoires canadiens réclament leur « part » d'immigrants francophones.

Malgré cette aporie dans la mise en place d'un nouveau modèle de cohésion sociale, tout espoir n'est pas perdu. Les apories peuvent être résolues, et les collectivités humaines y sont souvent parvenues. La résolution de l'aporie de la cohésion sociale dans le contexte de la diversité et de l'incomplétude institutionnelle passe peut-être par l'invention d'une citoyenneté infranationale dont le fondement serait un type de lien social qui n'est pas la famille, c'est-à-dire les liens de participation élective ou organique ou la citoyenneté dans son sens classique, mais plutôt l'amour de la langue française, sa préservation comme bien commun et l'intérêt convergent des accueillants et des accueillis d'agir pour sa vitalité au sein d'un Canada où prévaut un fort bilinguisme asymétrique. Ce défi reste à théoriser. Il nous faudra aussi réfléchir à l'institutionnalisation d'un tel lien social inédit, mais néanmoins attirant.

Bibliographie

ARRIGHI, Laurence, et Annette BOUDREAU (2013). « La construction discursive de l'identité francophone en Acadie ou comment être francophone à partir des marges ? », *Minorités linguistiques et société = Linguistic Minorities and Society*, n° 3, p. 80-92.

BANNISTER, Jon, et Anthony O'SULLIVAN (2013). « Civility, Community Cohesion and Antisocial Behaviour: Policy and Social Harmony », *Journal of Social Policy*, vol. 42, n° 1, p. 91-110.

BLALOCK, Hubert M. (1967). *Toward a Theory of Minority-Group Relations*, New York, John Wiley & Sons.

BOUDREAU, Annette (2019). « L'identité assignée : du lieu et ses manifestations discursives », *Minorités linguistiques et société = Linguistic Minorities and Society*, n° 12, p. 51-66.

CARDINAL, Linda, et Craig DOBBON (2003). « Les restes de la nation canadienne-française et le discours "communautariste" en milieu francophone hors Québec », *Francophonies d'Amérique*, n° 15, p. 71-80.

Cardinal, Linda, et Éric Forgues (dir.) (2015). *Gouvernance communautaire et innovations au sein de la francophonie néobrunswickoise et ontarienne*, Québec, Presses de l'Université Laval.

Colic-Peisker, Val, et Shanti Robertson (2015). « Social Change and Community Cohesion: An Ethnographic Study of Two Melbourne Suburbs », *Ethnic and Racial Studies*, vol. 38, n° 1, p. 75-91.

Commissariat aux langues officielles (CLO) et Commissariat aux services en français de l'Ontario (CSFO) (2015). *Agir maintenant pour l'avenir des communautés francophones : pallier le déséquilibre en immigration*, Ottawa, Ministre des Travaux publics et des Services gouvernementaux Canada, [En ligne], [https://www.clo-ocol.gc.ca/sites/default/files/rapport_immigration.pdf] (12 mai 2020).

Comte, Auguste (1869). *Cours de philosophie positive*, vol. 1, 3e éd., Paris, J. B. Baillière et Fils.

Durkheim, Émile (1976). *Le suicide*, Paris, Presses universitaires de France.

Durkheim, Émile (1983). *De la division sociale du travail*, Paris, Presses universitaires de France.

Farmer, Diane (1996). *Artisans de la modernité : les centres culturels en Ontario français*, Ottawa, Les Presses de l'Université d'Ottawa.

Farmer, Diane (2008). « L'immigration francophone en contexte minoritaire : entre la démographie et l'identité », Joseph Yvon Thériault, Anne Gilbert et Linda Cardinal (dir.), *L'espace francophone en milieu minoritaire au Canada : nouveaux enjeux, nouvelles mobilisations*, Montréal, Éditions Fides, p. 121-159.

Fédération des communautés francophones et acadienne du Canada (2004). *Évaluation de la capacité des communautés francophones en situation minoritaire à accueillir de nouveaux arrivants*, Ottawa, Fédération des communautés francophones et acadienne du Canada, [En ligne], [https://fcfa.ca/wp-content/uploads/2018/08/2004-Évaluation-capacité-accueil-immigrants.pdf] (3 avril 2020).

Fédération des communautés francophones et acadienne du Canada (2019). *Bâtir ensemble des communautés dynamiques, plurielles et inclusives : plan stratégique communautaire en immigration francophone 2018-2023*, Ottawa, Fédération des communautés francophones et acadienne du Canada, [En ligne], [https://immigrationfrancophone.ca/images/documents/PlanStrategiqueCommunautaire-_immigration_francophone-2018-2023.pdf] (30 juin 2020).

Fibbi, Rosita, et Gianni D'Amato (2008). « Transnationalisme des migrants en Europe : une preuve par les faits », *Revue européenne des migrations internationales*, vol. 24, n° 2, p. 7-22.

Frenette, Yves (1998). *Brève histoire des Canadiens français*, Montréal, Éditions du Boréal.

Gaffikin, Frank, et Mike Morrissey (2011). « Community Cohesion and Social Inclusion: Unravelling a Complex Relationship », *Urban Studies*, vol. 48, n° 6, p. 1089-1118.

GALLANT, Nicole (2010). « Communautés francophones en milieu minoritaire et immigrants : entre inclusion et ouverture », *Revue du Nouvel-Ontario*, n°s 35-36, p. 69-105, [En ligne], [https://doi.org/10.7202/1005966ar] (4 janvier 2015).

GALLANT, Nicole, et Chedly BELKHODJA (2005). « Production d'un discours sur l'immigration et la diversité par les organismes francophones et acadiens au Canada », *Canadian Ethnic Studies = Études ethniques au Canada*, vol. 37, n° 3, p. 35-58.

GIJSBERTS, Mérove, Tom VAN DER MEER, et Jaco DAGEVOS (2012). « "Hunkering Down" in Multi-Ethnic Neighbourhoods?: The Effects of Ethnic Diversity on Dimensions of Social Cohesion », *European Sociological Review*, vol. 28, n° 4, p. 527-537.

GORDON, Milton (1964). *Assimilation in American Life: The Role of Race, Religion and National Origin*, New York, Oxford University Press.

HEWSTONE, Miles (2009). « Living Apart, Living Together?: The Role of Intergroup Contact in Social Integration », *Proceedings of the British Academy*, n° 162, p. 243-300.

HOLTUG, Nils, et Andrew MASON (2010). « Introduction : Immigration, Diversity and Social Cohesion », *Ethnicities*, vol. 10, n° 4, p. 407-414.

HUNTINGTON, Samuel (2004). *Who Are We?: The Challenges to America's National Identity*, New York, Simon & Schuster.

HUOT, Suzanne, *et al.* (2020). « The Power of Language: Exploring the Relationship between Linguistic Capital and Occupation for Immigrants to Canada », *Journal of Occupational Science*, vol. 27, n° 1, p. 95-106.

HUOT, Suzanne, *et al.* (2020). « Favoriser la cohésion communautaire dans un contexte de diversité », Ottawa, Fédération des communautés francophones et acadienne du Canada.

IACOVINO, Raffaele, et Rémi LÉGER (2013). « Francophone Minority Communities and Immigrant Integration in Canada: Rethinking the Normative Foundations », *Canadian Ethnic Studies = Études ethniques canadiennes*, vol. 45, n° 1-2, p. 95-114.

KYMLICKA, Will (2001). *La citoyenneté multiculturelle : une théorie libérale du droit des minorités*, Montréal, Éditions du Boréal.

LACROIX, Thomas (2018). *Le transnationalisme : espace, temps, politique, mémoire d'habilitation à diriger des recherches* (géographie), Poitiers, Université de Poitiers.

LAGHZAOUI, Ghizlane (2011). *Paroles d'immigrants !: représentations sociales et construction identitaire chez les enseignants immigrants francophones en Colombie-Britannique*, thèse de doctorat (*educational leadership*), Burnaby, Simon Fraser University.

LAURENCE, James (2015). « Reconciling the Contact and Threat Hypotheses: Does Ethnic Diversity Strenghen or Weaken Community Inter-Ethnic Relations? », *Ethnic and Racial Studies*, vol. 37, n° 8, p. 64-85.

LEONARD, Philip, Ted MCDONALD, et Pablo MIAH (2019). « Immigrant Retention in New Brunswick: Results from BizNet and Citizen Database », Fredericton, University of New Brunswick, New Brunswick Institute for Research, Data and Training, [En ligne], [https://www.unb.ca/nbirdt/_assets/documents/nbirdt/research/2019-immigrant-retention-colour.pdf] (2 juillet 2020).

Lymperopoulou, Kitty (2019). « Immigration and Ethnic Diversity in England and Wales Examined Through an Area Classification Framework », *Journal of International Migration and Integration*, [En ligne], [https://link.springer.com/article/10.1007%2Fs12134-019-00678-9] (9 novembre 2020).

Madibbo, Amal (2006). *Minority within a Minority Black Francophone Immigrants and the Dynamics of Power and Resistance*, New York, Routledge.

Madibbo, Amal (2018). « L'immigration transnationale africaine francophone en milieu minoritaire et son impact sur l'intégration dans la société canadienne », *Francophonies d'Amérique*, nos 46-47, p. 127-148.

Martel, Marcel (1997). *Le deuil d'un pays imaginé : rêves, luttes et déroute du Canada français. Les rapports entre le Québec et la francophonie canadienne 1867-1975*, Ottawa, Les Presses de l'Université d'Ottawa.

Ndiaye, Pap (2008). *La condition noire: essai sur une minorité française*, Paris, Calmann-Lévy.

Oliver, J. Eric, et Janelle Wong (2003). « InterGroup Prejudice in Multiethnic Settings », *American Journal of Political Science*, vol. 47, n° 4, p. 567-582.

Paquet, Mireille (2016). *La fédéralisation de l'immigration au Canada*, Montréal, Les Presses de l'Université de Montréal.

Pettigrew, Thomas Fraser, et Linda R. Tropp (2006). « A Meta-Analytic Test of Intergroup Contact Theory », *Journal of Personality and Social Psychology*, vol. 90, n° 5, p. 751-783.

Putnam, Robert D. (2007). « *E Pluribus Unum*: Diversity and Community in the Twenty-First Century–the 2006 Johan Skytte Prize Lecture », *Scandinavian Political Studies*, vol. 30, n° 2, p. 137-174.

Reitz, Jeffrey G., et Rupa Banerjee (2007). *Racial Inequality, Social Cohesion and Policy Issues in Canada*, Montréal, Institute for Research on Public Policy.

Sall, Leyla, et Hamadou Boubacar (2018). *Niches d'emplois et barrières d'accès au marché du travail des nouveaux immigrants francophones en Acadie des Maritimes*, Moncton, Immigration, Réfugiés et Citoyenneté Canada.

Schnapper, Dominique (1991). *La France de l'intégration : sociologie de la nation en 1990*, Paris, Gallimard.

Simon, Gildas (2008). *La planète migratoire dans la mondialisation*, Paris, Armand Colin.

Simon, Patrick (2003). « L'impasse de l'analyse statistique dans une France sans races », *Hommes et Migrations*, n° 1245, p. 42-53.

Soutphommasane, Tim (2016). « Grounding Multicultural Citizenship: From Minority Rights to Civic Pluralism », *Journal of Intercultural Studies*, vol. 26, n° 4, p. 410-416.

Statistique Canada (2017a). « Nouveau-Brunswick [Province] et Canada [Pays] (tableau) : profil du recensement », Recensement de 2016, produit n° 98-316-X2016001,

29 novembre 2017, sur le site de Statistique Canada, [https://www12.statcan.gc.ca/census-recensement/2016/dp-pd/prof/index.cfm?Lang=F] (22 octobre 2020).

STATISTIQUE CANADA (2017b). « Ontario [Province] et Canada [Pays] (tableau) : profil du recensement », Recensement de 2016, produit nº 98-316-X2016001, 29 novembre 2017, sur le site de Statistique Canada, [https://www12.statcan.gc.ca/census-recensement/2016/dp-pd/prof/index.cfm?Lang=F] (22 octobre 2020).

STATISTIQUE CANADA (2017c). « Manitoba [Province] et Canada [Pays] (tableau) : profil du recensement », Recensement de 2016, produit nº 98-316-X2016001, 29 novembre 2017, sur le site de Statistique Canada, [https://www12.statcan.gc.ca/census-recensement/2016/dp-pd/prof/index.cfm?Lang=F] (22 octobre 2020).

STATISTIQUE CANADA (2017d). « Colombie-Britannique [Province] et Canada [Pays] (tableau) : profil du recensement », Recensement de 2016, produit nº 98-316-X2016001, 29 novembre 2017, sur le site de Statistique Canada, [https://www12.statcan.gc.ca/census-recensement/2016/dp-pd/prof/index.cfm?Lang=F] (22 octobre 2020).

THÉRIAULT, Joseph Yvon (1995). *L'identité à l'épreuve de la modernité : écrits politiques sur l'Acadie et les francophonies minoritaires*, Moncton, Éditions d'Acadie.

THÉRIAULT, Joseph Yvon (1999). *Francophonies minoritaires au Canada : l'état des lieux*, Moncton, Éditions d'Acadie.

UPTON, Jonathan, et Charlie MANSELL (2010). « Building Cohesion and Trust in London: A Social Marketing Approach », *International Review on Public and Nonprofit Marketing*, vol. 8, nº 1, p. 57-71.

VERONIS, Luisa, et Suzanne HUOT (2017). *Les espaces de rencontres : les expériences d'intégration sociale et culturelle des immigrants et réfugiés francophones dans les communautés francophones en situation minoritaire*, Ottawa, Immigration, Réfugiés et Citoyenneté Canada (IRCC) ; London (Ontario), Voies vers la prospérité = Pathways to Prosperity (Université Western).

VERONIS, Luisa, et Suzanne HUOT (2018). « La pluralisation des espaces communautaires francophones en situation minoritaire : défis et opportunités pour l'intégration sociale et culturelle des immigrants », *Francophonies d'Amérique*, nºs 46-47, p. 171-195.

VERONIS, Luisa, et Suzanne HUOT (2019). « Imaginaires géographiques de la francophonie minoritaire canadienne chez des immigrants et des réfugiés d'expression française », *Diversité urbaine*, vol. 19, p. 115-137.

Résumés/*Abstracts*

Isabelle LeBlanc

Le discours sur la violence sexuelle en milieu universitaire francophone : le cas de l'Université de Moncton

Cet article a pour objectif d'analyser le contenu idéologique du discours sur la violence sexuelle en milieu universitaire francophone en examinant comment les notions de culture du viol et de culture du consentement sont utilisées pour définir ce qu'est la violence à caractère sexuel. Nous adopterons une approche qualitative et féministe de l'analyse du discours (Cameron, 2007 ; Fairclough et Wodak, 1997 ; Ehrlich et King, 1994) afin de faire valoir comment les idéologies de genre se déploient dans la production discursive en milieu universitaire. Cette analyse se basera sur un corpus de discours produits et mis en circulation entre 2015 et 2019. Nous montrerons que l'émergence d'un discours sur la violence à caractère sexuel à l'Université de Moncton permet tantôt de reproduire les stéréotypes de genre associés aux femmes en Acadie, tantôt d'y résister.

This article studies gender ideologies materialized through discourse on sexual violence as they are deployed within a francophone university campus in Canada. The ideological content of discourse will be examined through the notions of rape culture and consent culture as they both frame different meanings and perspectives of sexual violence on campus. Through a feminist and qualitative approach to discourse analysis (Cameron, 2007; Fairclough and Wodak, 1997; Ehrlich and King, 1994), we will show how gender ideologies are intertwined with discourse about sexual violence. Our analyses will be based on sources produced between 2015 and 2019. We will show that the emergence of a public discourse about sexual violence on this campus participates in reproducing or resisting existing stereotypes of womanhood in Acadia.

Francophonies d'Amérique, n° 51 (printemps 2021), p. 117-120.

Isabelle Kirouac Massicotte

Le visage trash *de la relève romanesque franco-ontarienne au féminin : le cas de Véronique-Marie Kaye et de Catherine Bellemare*

La critique en littérature franco-ontarienne s'est longtemps focalisée sur l'esthétique de l'exiguïté pour en interpréter les œuvres. En règle générale, l'esthétique de l'exiguïté, associée à la cause franco-ontarienne et à la minorisation linguistique, est implicitement portée par des hommes blancs. Sans complètement se détacher de cette esthétique, la présente contribution en propose une interprétation renouvelée et plus inclusive. Comme l'indique François Paré dans *Les littératures de l'exiguïté*, le principe de base de cette esthétique est un rapport inégal au pouvoir. Mon article part donc de ce constat pour renouveler l'esthétique de l'exiguïté et faire éclater le sujet minoritaire en abordant d'autres marginalités, comme le genre et l'orientation sexuelle. Mon analyse se base sur les œuvres de Véronique-Marie Kaye et de Catherine Bellemare, deux écrivaines qui peuvent être rapprochées de la relève franco-ontarienne et qui ont recours à une écriture *trash* pour dire le fait marginal.

Research and criticism on Franco-Ontarian literature often rely on the aesthetics of exiguity to produce an analysis of these works. More often than not, this aesthetics is associated to the Franco-Ontarian cause, centered on linguistic minorization and implicitly carried by white men. Without completely rejecting this aesthetics, this article showcases a refreshed and more inclusive reading of exiguity. As François Paré put it in Les littératures de l'exiguïté, *the core principle of this aesthetics is an unequal relation to power. My analysis is based on this observation and goes beyond the usual minority experience, based on language, to include other marginalities, such as gender and sexual orientation. To illustrate this renewal of the exiguity aesthetics, I study the work of two emergent authors, Véronique-Marie Kaye and Catherine Bellemare, who rely on trash aesthetics to depict the margins.*

Dorsaf Keraani

De la refondation du legs colonial à une topographie littéraire aux Antilles et au Maghreb dans les œuvres de Glissant, de Chamoiseau et de Khatibi

Dans une perspective transcontinentale, cet article se propose d'étudier la topographie littéraire des Antilles et du Maghreb, en rapport avec les paradigmes socioéconomiques et culturels qui les lient. Les œuvres de Glissant, de Chamoiseau et de Khatibi, insérées dans la taxinomie centre-périphéries, témoignent de cette production littéraire francophone aux confluences multiples.

In a transcontinental perspective, this article aims to study the literary topography of the Caribbean and the Maghreb, in relation to the socio-economic and cultural paradigms that bind them. The writings of Glissant, Chamoiseau and Khatibi, inscribed in the center-peripheries taxonomy, show that francophone literary production is at the crossroads of many influences.

Leyla Sall, Luisa Veronis, Suzanne Huot, Nathalie Piquemal et Faïçal Zellama

Immigration et francophonies minoritaires canadiennes : les apories de la cohésion sociale

Les communautés francophones en situation minoritaire (CFSM) du Canada ont opéré une transformation sociétale remarquable au début des années 2000 : elles sont devenues des communautés d'accueil d'immigrants d'expression française et francophiles. Mais qu'en est-il de leur cohésion sociale dans le contexte de la diversité ethnoraciale ? Cet article explore les apories de la cohésion sociale dans quatre CFSM à travers le pays (Colombie-Britannique, Manitoba, Ontario et Nouveau-Brunswick). Il se base, d'une part, sur des tendances lourdes de la recherche en sciences sociales portant sur la cohésion sociale et, d'autre part, sur des données qualitatives issues de groupes de discussion. Nos résultats confirment un fait mis en évidence par la sociologie durkheimienne : l'atteinte d'une cohésion sociale par les CFSM semble devoir passer par un processus de destruction créatrice générateur de collectivités contractuelles, qui sont aptes à intégrer pleinement des immigrants francophones transnationaux qui ne partagent pas nécessairement les ambitions de faire société de leur communauté d'accueil.

Francophone minority communities (FMCs) in Canada underwent a remarkable social transformation at the beginning of the 2000s: they became host communities to French-speaking immigrants. But how did this shape social cohesion with respect to ethnoracial diversity? This article explores the aporias of social cohesion within four FMCs across the country (British Columbia, Manitoba, Ontario and New Brunswick). Our argument is drawn, on the one hand, from debates in the social sciences literature about social cohesion, and on the other hand, from qualitative focus group data. Our results confirm a fact supported by Durkheimian sociology: achieving social cohesion within FMCs appears to have to undergo a process of creative destruction generating a collective contract that is able to integrate fully Francophone transnational immigrants who do not necessarily share the social ambitions of their host community.

Notices biobibliographiques

Suzanne Huot est professeure adjointe au Département de la science de l'activité humaine et d'ergothérapie de l'Université de la Colombie-Britannique. À l'aide de méthodologies critiques et qualitatives, elle mène des études sur l'intégration et la participation sociale des immigrants et des réfugiés d'expression française dans les communautés francophones en situation minoritaire.

Titulaire d'une thèse de doctorat en littérature comparée, **Dorsaf Keraani** s'intéresse à la littérature française et francophone, ainsi qu'aux études intermédiales. Elle a à son actif plusieurs articles portant sur la littérature francophone des Antilles, du Maghreb et de l'Afrique.

Isabelle Kirouac Massicotte est professeure adjointe à l'Université du Manitoba. Ses travaux portent sur le *trash* comme esthétique de la marginalité dans les littératures québécoise, franco-canadiennes et autochtones de langue française. Elle s'intéresse à l'étude culturelle des minorités, au genre de l'horreur sociale, à l'imaginaire minier, à l'imaginaire de l'industrie et à la nordicité. Son livre, *Des mines littéraires: l'imaginaire minier dans les littératures de l'Abitibi et du Nord de l'Ontario*, a paru en 2018 aux Éditions Prise de parole et s'est mérité le Prix Champlain en 2020.

Isabelle LeBlanc est professeure adjointe au Département d'études françaises de l'Université de Moncton. Ses champs d'expertise sont les théories féministe et queer, l'analyse critique du discours ainsi que l'interaction entre les idéologies de genre et les idéologies linguistiques. Elle est la directrice scientifique du GRAFA, le Groupe de recherche sur les archives et les femmes en Acadie. Ses travaux portent sur la construction sociale et discursive des rapports genrés en Acadie, notamment en ce qui concerne la parole des femmes et des personnes queers dans l'espace public. Elle s'intéresse à l'analyse du rapport entre langue, genre et pouvoir en Acadie.

Francophonies d'Amérique, n° 51 (printemps 2021), p. 121-122.

Nathalie Piquemal est professeure à la Faculté d'éducation de l'Université du Manitoba. Elle utilise une approche phénoménologique pour explorer les facteurs de risque et de soutien qui influencent l'intégration des familles immigrantes et réfugiées dans les écoles et la société. Ses recherches portent aussi sur l'incivilité en milieu universitaire en lien avec les dimensions identitaires de la race, du genre et de l'indigénéité.

Leyla Sall est professeur agrégé au Département de sociologie et de criminologie de l'Université de Moncton. Ses recherches portent sur l'intégration économique des immigrants dans les provinces maritimes, les transformations sociétales de l'Acadie, devenue communauté d'accueil d'immigrants d'expression française, et sur le racisme et les discriminations raciales.

Luisa Veronis est professeure agrégée au Département de géographie, environnement et géomatique et titulaire de la Chaire de recherche sur l'immigration et les communautés franco-ontariennes à l'Université d'Ottawa. Ses recherches portent sur les géographies sociales et politiques de l'immigration, dont les expériences d'intégration, de participation et d'inclusion des immigrants et des réfugiés dans les villes canadiennes, notamment les immigrants francophones en contexte minoritaire.

Faïçal Zellama est professeur agrégé à l'Université de Saint-Boniface. Ses recherches portent sur l'immigration selon les axes des 4i (immigration, intégration, inclusion et identité), sur les politiques publiques et les programmes sociaux et sur les facteurs de succès de l'entrepreneuriat féminin.

Politique éditoriale

Francophonies d'Amérique est une revue pluridisplinaire dans le domaine des sciences humaines et des sciences sociales. Elle paraît deux fois l'an. La direction de la revue favorise non seulement la représentation équitable des diverses disciplines, mais elle encourage également les croisements disciplinaires. L'Ontario, l'Acadie, l'Ouest canadien, les États-Unis et les Antilles (Haïti, Martinique, Guadeloupe) y sont représentés. Le Québec peut aussi y être conçu comme un objet d'étude dans son histoire et sa présence continentales. Les diverses facettes de la vie française dans ces régions font l'objet d'analyses et d'études à la fois savantes et accessibles à un public qui s'intéresse aux « parlants français » en Amérique du Nord. On y retrouve aussi des comptes rendus de publications récentes en langue française issues de ces collectivités. La direction de la revue privilégie la représentation des régions tant par les textes que par les auteurs et encourage les études comparatives et les perspectives d'ensemble. *Francophonies d'Amérique* vise à refléter un secteur de recherche en pleine croissance et constitue ainsi une source de renseignements des plus utiles pour quiconque s'intéresse à la francophonie nord-américaine dans toute sa vitalité.

Procédure d'évaluation des articles

Tous les articles soumis à la revue, y compris les textes sollicités par la direction, les membres du conseil d'administration ou du comité de rédaction, doivent faire l'objet d'une évaluation par au moins deux personnes compétentes. La revue fera appel le plus souvent possible aux membres du comité de rédaction pour assurer l'évaluation des textes. La sollicitation d'un article ou d'un compte rendu n'en signifie donc pas l'acceptation automatique.

Francophonies d'Amérique ne publie que des articles inédits, c'est-à-dire qui n'ont fait l'objet d'aucune publication antérieure, sous quelque forme que ce soit, incluant le site Web de l'auteur, celui du centre de recherche ou celui de l'institution à laquelle il est rattaché.

Numéros thématiques – textes choisis de colloques

Francophonies d'Amérique accueille volontiers des articles provenant de colloques portant sur des sujets pertinents. Un seul numéro par année est normalement consacré à ce type de publication.

La préparation des textes est confiée au responsable du numéro thématique. Tous les articles doivent être remis en un seul dossier, en format Word. La présentation du numéro par le responsable scientifique et les notices biobibliographiques (100 mots) des collaborateurs et des collaboratrices ainsi que les résumés (en français et en anglais) des articles (100 mots) doivent être compris dans le dossier remis à la direction de la revue. Les textes doivent être conformes aux normes et au protocole de rédaction de la revue.

Les manuscrits doivent faire l'objet d'une évaluation normale par les pairs.

En consultation avec les coordonnateurs des différents dossiers, la direction de *Francophonies d'Amérique* est responsable du choix final des articles, et elle avisera les auteurs de sa décision.

Nombre de pages

Les numéros de *Francophonies d'Amérique* comptent au maximum 200 pages, incluant la table des matières, l'introduction, les articles, les comptes rendus, les notices biobibliographiques et les pages se rapportant à la revue.

Longueur des articles

Les textes soumis pour publication comptent entre 15 et 20 pages, à interligne double. Les tableaux, les graphiques et les illustrations doivent être limités à l'essentiel ; chaque numéro comprend au maximum 26 tableaux et illustrations.

Présentation des articles

La revue utilise le système de renvoi à l'intérieur du texte, suivi d'une bibliographie des ouvrages cités. Les notes doivent être réduites au minimum, et seules celles qui sont essentielles à la cohésion et à la compréhension de l'article seront publiées. De même, la revue ne publiera que la bibliographie des ouvrages cités.

Présentation des comptes rendus

Les comptes rendus comprennent la référence complète de l'ouvrage recensé en guise de titre, suivie du nom de l'auteur du compte rendu ainsi que ses coordonnées complètes. Nombre de mots : entre 1 000 et 1 200.

Protocole de rédaction

Le protocole de rédaction est disponible sur demande.

Accès libre aux articles

Un an après la parution de son article en format imprimé et électronique dans le portail Érudit, l'auteur qui le désire pourra diffuser librement son article après en avoir obtenu l'autorisation de *Francophonies d'Amérique* et en s'assurant que la source de l'article est clairement indiquée.

Bureau des abonnements
CRCCF
Université d'Ottawa
65, rue Université, bur. 040
Ottawa (Ontario) K1N 6N5
CANADA
crccfadm@uottawa.ca

ABONNEMENT NUMÉRIQUE (2 NUMÉROS PAR ANNÉE)

INDIVIDUEL
Canada (TPS comprise) et étranger

Étudiant / Retraité	☐	**25 $**
Individu	☐	**30 $**

INSTITUTIONNEL (133 $)

Les institutions, les consortiums et les agences d'abonnements doivent communiquer avec Érudit
Tél. : 514 343-6111, poste 5500 |
client@erudit.org

NUMÉROS NUMÉRIQUES (EPUB) **15 $** (www.entrepotnumerique.com)

NUMÉROS IMPRIMÉS (1 à 51) TARIFS À L'UNITÉ | Numéro désiré ________

Canada (TPS comprise)

Étudiant / Retraité	☐	**20 $**
Individu	☐	**25 $**
Institution	☐	**60 $**

À l'étranger (frais d'expédition compris)

Étudiant / Retraité	☐	**28 $**
Individu	☐	**33 $**
Institution	☐	**70 $**

NOM : ______________________ PRÉNOM : ______________________
ORGANISME : ______________________

ADRESSE : ______________________ VILLE : ______________________

PROVINCE : ______________________ CODE POSTAL : ______________________

TÉLÉPHONE : ______________________ COURRIEL : ______________________

Veuillez retourner une copie de ce formulaire d'abonnement et votre chèque libellé au nom de l'Université d'Ottawa à l'adresse suivante :
Abonnement *Francophonies d'Amérique*
Centre de recherche en civilisation canadienne-française
Université d'Ottawa
65, rue Université, bur. 040
Ottawa (Ontario) K1N 6N5
CANADA

Achevé d'imprimer
en avril deux mille vingt et un
sur les presses de l'imprimerie Gauvin,
Gatineau (Québec), Canada.